JN076579

官能の庭II

ピクタ・ポエシス

ペトラルカからエンブレムへ

マリオ・プラーツ――著
伊藤博明・新保淳乃他――訳
伊藤博明――監修

Mario PRAZ, Il Giardino dei Sensi II, PICTA POESIS: Ex Petrarca ad Emblemata

ありな書房

官能の庭Ⅱ　ピクタ・ポエシス——ペトラルカからエンブレムへ　目次

Mario PRAZ

Il Giardino dei Sensi II
PICTA POESIS
Ex Petrarca ad Emblemata

Transtulerunt Hiroaki ITO
Midori WAKAKUWA
Kiyono SHIMBO

Commentavit e Curavit
Hiroaki ITO

Edidit Akira ISHII

Designavit Hikaru NAKAMOTO

官能の庭Ⅱ

ピクタ・ポエシス——ペトラルカからエンブレムへ

プロローグ　マリオ・プラーツの庭

一九八二年三月二三日、稀代の碩学マリオ・プラーツは、ローマはテヴェレ川に面するパラッツォ・プリーモリにて八五歳の生涯を閉じた。翌日のイタリア共産党（当時）の日刊紙『ウニタ』には「最後の人文主義者、マリオ・プラーツ死す」と題する追悼記事が掲載された。筆者はプラーツの弟子で高名なシェイクスピア学者のアゴスティーノ・ロンバルドであり、彼はプラーツが担当していたローマ大学英語・英文学の講座を一九五七年に引き継いでいた。

ここでロンバルドはプラーツの多様な姿を紹介している。現代におけるイギリス研究の最高峰であり（『ロマンス主義文学における肉体と死と悪魔』）、ローマ大学で長年教鞭を取った教師であり（『英文学史』）、炯眼の美術批評家であり（『新古典主義的趣好』）、類い稀なエッセイストであり（『摘みたての花』他）、旅行家であり（『西洋の旅』）、ローマ学者であり（『ローマ百景』）、また美術収集家であった（『生の家』）。そして、「文化と芸術の諸価値を不断に攻撃し、損傷し、破壊する世界において、粘り強く、情熱的にそれらの価値を擁護した、おそらく最後の、現代の人文主義者（umanista）であった」。

プラーツが活躍した人文主義的な圏域を、彼が愛好していたタッソ『エルサレム解放』の「アルミーダの庭」（図1・図2）に擬して「マリオ・プラーツの庭」と呼ぶことも許されるであろう。魔性の女アルミーダが創出した庭園は、いわば「自然がつくりあげた芸術」で、「戯れに自然が芸術を摸倣した」かのようであり、そこで勇者リナルドは着飾り悦楽に浸っている。魔女ならぬプラーツもまた、「邪眼のもち主」（lo iettatore）とされ、しばしば「不吉な者」（il maligno）と呼ばれていた。もとより、リナルドはわれわれ読者である。

本書に収められた論考「イギリスにおけるタッソ」は、この「プラーツの庭」のごく一角を占めるにすぎないが、イタリア・バロックを代表する詩人のイギリスにおける受容を詳しく跡づけたアカデミックな研究として瞠目に値する。プラーツは『エルサレム解放』のフェアファックス訳（一六〇〇年）からフール訳（一七六三年）までたどり各々の特徴を浮き彫りにしつつ、同時にイギリスの詩人たち——スペンサー、ミルトン、ドライデン、バイロンなど——への影響（「官能的な魅惑と哀感に満ちた平安」）について多くの詩節を引用しながら、見事な概観図を描きだしている。

一方、一九六六年発表の「アルミーダの庭」は、プラーツの批評家的側面が濃厚なエッセイであり、ひとつのモティーフをめぐって時代と地域を超えて論が展開されている。たとえば、『エルサレム解放』において何度も現われる、優しい感情の湧き起こる原初的段階を示す「言い知れぬ」（un non so che）という表現は、ウェルギリウス『アエネイス』に遡るが、ルクレティウス、ダンテ、ペトラルカを経てタッソにいたり、彼の意識的な利用がのちに、パスカル、モンテスキューらを通してロマン主義におよぶことが無類のレトリカルな記述で証される。

一九六六年にローマで、プラーツの生誕七〇年を記念する論集『友愛の花輪』が刊行された。この論集には、エドマンド・ウィルソン、ルネ・ウェレック、アンドレ・シャステルなど三九名が多彩なエッセイを寄稿している。『友愛の花輪』は、事実、「プラーツの庭」から採られた花々によって編まれたとみなすこともできるであろう。T・S・エリオットは「マリオ・プラーツ讃」と題する小文を寄せており、彼の『イギリスにおける一七世紀主義とマリーノ主義』（一九二五年）を想い起こしながら、こう述べている。「四つの言語——英語、イタリア語、スペイン語、ラテン語——による当時の詩についての彼の知識は百科全書的なもので、しかも、彼自身の洞察力と良き趣味によって確固とされており、この著作をイギリスの〈形而上詩〉の研究者にとって読むことが必須なものとしている」。

エリオットが語る「洞察力と良き趣味」を具えた百科全書的な知識こそは、生涯にわたってプラーツの旺盛な批評活動を支えてきたものであり、それによってプラーツを「人文主義者」と呼ぶことはまことに妥当であろう。とは

図1——アンニーバレ・カラッチ
《リナルドとアルミーダ》一六〇〇年～〇一年
ナポリ　カポディモンテ国立美術館

図2——グレゴリオ・ラッザリーニ
《リナルドとアルミーダ》一六九〇年頃
リュブリャナ　スロベニア国立美術館

いえ、これら三九名が人文主義的な花々を献じた「プラーツの庭」は、おそらく一九六六年においてさえ、存続の危機に瀕していたはずである。

タッソ『エルサレム解放』では、リナルドを「アルミーダの庭」から救出するために、総大将ゴットフレードは二人の騎士カルロとウバルドを派遣する。彼らは草薮に潜んで二人を伺っていたが（図1・2）、アルミーダが庭園を離れたすきに、隠者ピエトロから授かった「反魔術」を駆使してリナルドを覚醒させる。一方、「プラーツの庭」に侵入する騎士は〈科学〉、すなわち二〇世紀に入って興隆した精神分析学、言語学、文化人類学、社会学、統計学、情報処理学、等々である。人文学はこれらの諸〈科学〉の騎士たちによって切り刻まれ、すぐのちに急襲する〈ポストモダン〉の小隊によって解体されるであろう。

プラーツは、一九四九年にローマで、ブリティッシュ・カウンシルの援助を得て、『イングリッシュ・ミセラニー――歴史・文学・芸術の饗宴』を刊行し始める。このタイトル（「イギリス的寄せ集め」）はプラーツ自身の学問上・批評上の方法論を適確に示しているが、だがそれをもって、のちの「インターディシプリナリー的アプローチ」や「カルチュアル・スタディーズ」の先駆と評するのは誤っているであろう。プラーツの念頭にあったのは、ある時代や地域に存在する文化的な交流や混淆を見いだすこと、そしてその歴史的展開を跡づけることであり、それは「洞察力と良き趣味」によってはじめて可能なものであった。

プラーツは「イギリスにおけるタッソ」の末尾において、イギリスの現代詩人ノーマン・ニコルソンの詩に触れて、本来は「もっとも柔和で音楽的なタッソ」が、この苦悩の時代においては、エリオットが詠ったような「荒地」の詩人という衣服をまとって現われると指摘していた。また、現代においては、「芸術家についての観点が革命を経験した」とも語っている。くりかえすまでもなく、研究者も批評家も同様に革命を経験した。「プラーツの庭」は彼自身とともに消滅し、その魔法は解かれて「荒地」となった。プラーツが「最後の人文主義者」となった所以である。『イングリッシュ・ミセラニー』はプラーツの死とともに第三〇号（一九八二年）をもって終刊した。

（伊藤博明）

イギリスのバロック

「バロック」という用語に与えるべき意味と範囲については大いに議論されてきた。最近刊行された『世界美術百科事典』(*Enciclopedia universal dell'arte*)の、ジュリアーノ・ブリガンティが担当した「バロック」という項目から導きだしうる結論は、ダンテが語っている聖フランチェスコの戒律のように、「ひとりは戒律を逃れ、ひとりは戒律を厳しくする」(「天国篇」一二歌一二六行)という言葉によく表わされている。たとえば、またたくまに評判となったカタルーニャの批評家、エウヘニオ・ドールスのように、バロックを普遍的なカテゴリーと考え、ほとんど無際限と言っていいほどのヴァリエーションとニュアンスの差異を識別する者もいるし、またブリガンティのように、バロックをあるひとつの世代、そしてある一群のかぎられた革新者たちに限定しようとする者もいる。

多くの国と地域では「バロック」という用語が適用された時代に、文学の趣好と美術の趣好とのあいだに根拠のある類似関係を認め、そこに否定しえない相関関係を見いだすことは不可能ではないものの、イギリスの場合についてはほとんどパラドクスに満ちた事例が示されている。イギリス文学では、シェイクスピアが国際的な名声を獲得しはじめた初期バロックの時代――ヴォルテールがシェイクスピアのなかに見いだした野生の感覚、すなわち当時のイギリスの洗練さを欠いた横溢するエネルギーこそ、まさにバロック芸術一般を最初に評価した人びとが認めようとしたものと同じであった――から、「バロック」という定義はあたかも絵に描いたように文学とぴったり合致していると思われていた。

一方、イギリス美術では、バロックの特徴は短期間、しかも一般に言われるバロック後期に出現しただけであり、それも二、三の建築家のほとんど個人的な事例にかぎられ、イギリス美術の伝統に見られるのはまさにバロックとは反対の特質、あたかも国民の特異体質となっているのではないかと思われるほど永遠に続く特質なのである。こうしたパラドクスは、この「バロック」という用語の誤った一般化によって生じたにすぎないのであろうか。美術と文学は、さまざまな表現手段によって、国民の同一の趣好を反映する——たとえばイタリアやフランスのような国では、このことは容易に理解される——のであるが、イギリス人は美術と文学ではきわめて異なる言語を話す国民、美術と文学とでは徹頭徹尾異質なヴィジョンをもつ国民であると考えるべきなのであろうか。

イギリスにはチッペンデール様式の椅子（図1）があり、その脚はあくまでも直線的で機能性が追求されているが、しかし背板は綺想にあふれ、ロココ様式、オリエント様式、ゴシック様式などのさまざまな装飾がほどこされている。この椅子のような相反する特質の混淆した国がイギリスなのであろう。そして、このような諸要素の一貫性を欠いた結合、このようなタイプの「撞着語法（オクシモロン）」にこそ、独特のユーモアを生んだこの国民のほかならぬ固有性が認められるということは否定しえない。

さて最初に美術について考えてみよう。イギリスは西洋の美術にどのような貢献をしたのであろうか。この問いをニコラウス・ペヴスナーは『イギリス美術のイギリス性』の冒頭で発している。[☆1] イギリスの尊者ベーダの時代は、細密画であれモニュメンタルな十字架彫刻であれ、ヨーロッパのほかの地域にたいして「前衛」の位置にあった。カロリング朝文化はイギリスから霊感を受けて成立した。イギリスのノルマン建築は、フランスの主な流派を凌駕しているとは言えないまでも、美的にも構造面でもけっして劣ってはいない。ダラムのゴシック聖堂（図2）は、間接的にではあれフランスに霊感を与えたのである。リンカーンに見られるような一三世紀のイギリスの聖堂（図3）は、フランスの初期ゴシック様式を凌駕さえした。一三〇〇年前後のイギリスの「装飾的な」建築はヨーロッパのほかの地域のどの建築より燦然と輝き、そして同時代人のイギリスの細密画（図4）は、ほかのどの作品とも比肩しうるものであった。イギリスの「垂直様式」の建築とエリザベス朝建築は、フランス、ネーデルラント、そしてドイツの建築と同様に、独創的で魅力的なものである。

次々とペヴスナーは考察を向ける。ほかでは見ることができない類いまれな一八世紀のイギリスの肖像画派、イギリスのパッラーディオ様式の建築、ピクチャレスクな庭園、ロバート・アダムが建築において、またウェッジウッドが陶器において表現した新古典主義、イギリスの鉄骨建築の広範な影響、一九世紀初期の風景画の〈大芸術〉とそのフランスへの影響、ウィリアム・モリスとヴィクトリア朝の最後の数十年間のいわゆる〈国内ルネサンス〔ゴシック復興〕〉、そして庭園都市の理念。ペヴスナーによれば、イギリスのおよぼした貢献は多岐にわたり、国際的な観点から見てもけっして遜色ない。

しかしながら、この批評家は、イギリス芸術に欠けているものとして、生命力、大胆、過剰、すなわちミケランジェロをはじめ、グリューネヴァルト、レンブラント、そしてエル・グレコと呼びうるものを指摘している。ベレンソンの観察によれば、イギリス人は「優美なもの（グラツィオーソ）」への傾向を所有していた。[☆2] ゴシックの彫刻であれ細密画であれ絵画であれ、その帰属がフランスとイギリスとのあいだで争われているものをとりあげることにしよう。デザインにせよモデリングにせよ、衣服に表わされた袖の縁どりが同じ型のものならば、まちがいなくイギリスの方がより優美なものになっている。

民族性の問題であろうか。気候の問題であろうか。それを民族性の問題とする仮説の根拠は揺らいでいる。しかし気候の問題となれば、ペヴスナーの確信するところでは、「われわれはより確固たる根拠にもとづいている」。イギリスの温暖で霧の多い気候こそ、まさに平穏で、極端の排除、柔和、従順、合理主義、良識、視野狭窄、保守主義という特徴を具え、それと同時に、立体感の欠如と肉体性の欠如という——それゆえ骨格を欠くかに見える中世の細密画の人体とブレイクの描く人物像は結びつくのであるが——一見すると先に挙げたいくつかと相容れないように思え

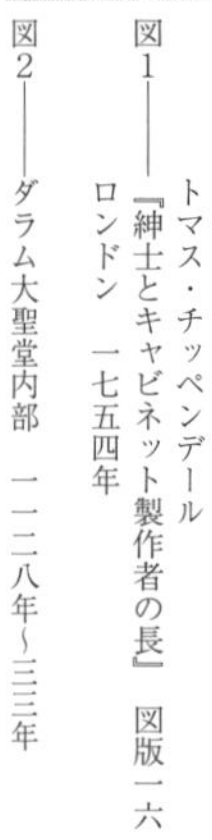

図1——トマス・チッペンデール
『紳士とキャビネット製作者の長』図版一六
ロンドン　一七五四年

図2——ダラム大聖堂内部　一一二八年〜一一三三年

図3――リンカーン大聖堂内部　一二二〇年～五〇年

図4――『ドゥース黙示録』「太陽を纏う女」一二七〇年頃
オックスフォード　ボードリアン図書館　Ms. Douce 180, fol. 33v.

る特徴をもつ芸術を生みだして当然ではないであろうか。美術におけるホガースとターナー、文学におけるジェーン・オースティンとシェリー、これら二つの組みあわせ――この時点までなら文学と美術との類似が見いだすことができるであろう――は、イギリスの世界で相反する両極となる。

イギリスは狂信家の国ではなく、好事家、水彩画家、細密画家たちの国、透明を好み、微妙な陰影を愛する人びとの国である。気候が極端でないように、イギリスの芸術にも極端さは見られない。それはまさに政治のように、両者ともレトリックとは無縁で、妥協と折衷主義を好む。歴史上のいかなる時代のカテゴリーにもいかなる民族のカテゴリーにもおさまらない、孤高の天才シェイクスピアにしても、おそらくその本質は普遍的な包括性、相反するものを融合させる卓越した折衷主義にあるのではないであろうか。

とりわけ喜劇作家としてのシェイクスピアを愛好し、シェイクスピアを「礼儀正しい」(gentle)と特徴づけ、「エーヴォンの甘美な白鳥の飛翔」(ベン・ジョンソンの評)を語る同時代の人びとこそ、典型的なイギリス人ではないであろうか。レトリックを排し、自然の素朴さを愛するあまりアレグザンダー・ポープは、田舎の百合の花は栄華に包まれたソロモンの衣服をも凌駕していたという、福音書の記述を響かせながら次のように述べている。「小枝こそ、王子がまとった戴冠式の衣裳のなかでももっとも高貴なものである」。

風景が大気によってその輪郭を失うように、イギリス人の感性には三次元性［立体感］が失われている。典型的なイギリス芸術が生みだしたものは、人物像の輪郭線が平板に象られた真鍮の墓碑（図5）と、ジョン・フラックスマンの線描画（図6）である。反‐形式主義的でピクチャレスクな「イギリス式」庭園（図7）もその典型のひとつである。イギリスの風景についてウィリアム・モリスが下した定義を紹介すると、「壮大に広がる空間は存在せず……棲む人もいない茫漠たる荒野も存在せず、孤独を感じさせる森林も、足を踏み入れることを拒む恐ろしい岩壁をもった山々も存在しない。すべては測量され、人の手の加わったものと自然が混合し、それがさまざまな形姿に容易に変化する。小さな川、小さな丘、小さな山……牢獄も宮殿も存在せず、あるのは人間の住む瀟洒な家（a decent home）だけである」[☆3]。

図5——「ジョン・フォックス卿と二人の妻の墓碑」真鍮の墓碑　セイント・マイケル教会　ブレイ、バークシャー

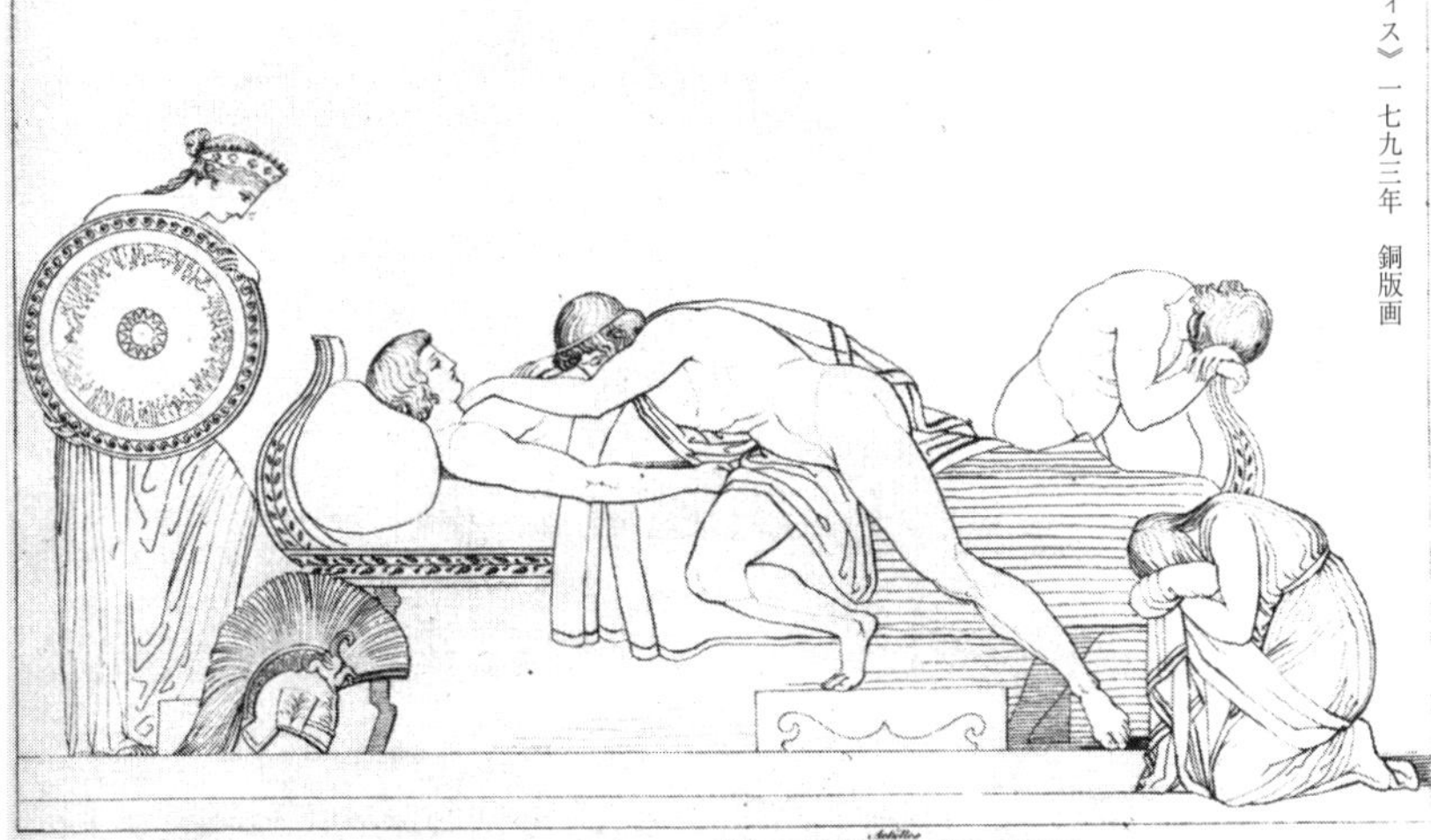

図6——ジョン・フラックスマン《アキレスに甲冑を運ぶ海の女神テティス》一七九三年　銅版画　ロンドン　大英博物館

図7――チャッツワース・ハウス庭園　ダービーシャー
ウィリアム・ウィルキンズ
図8――キングズ・カレッジ礼拝堂
ケンブリッチ　一八二二年～二四年
図9――リンカーン大聖堂ファサード　一二二〇年～三〇年

そして、合理的で功利的な特徴をもつがゆえにイギリス人のより傑出した芸術ジャンルである建築も、イギリスでは二次元的［平面的］になる。エミリオ・チェッキがケンブリッジのキングズ・カレッジ（図8）の建築についておこなった明敏な考察が想い起こされる。「われわれイタリア人の建築の円柱とアーチは、イタリアの風土の乾いた明るい晴朗さのなかで、素材の論理的な経済性を追求し、そこに人間の努力と忍耐を真摯に表現しつつ、建物の重量を支えている。一方、この地イギリスの重厚な雰囲気のなかでは、事物は軽快になり、その建築物を支える人間の努力は軽減され、それに秩序を与え、配置する自由は増加する。われわれイタリア人にあっては、円柱は力と義務を表わすひとつの要素であり、イギリス人にあっては、優雅で空想をかきたてる要素となっている。……しかし、こうした想像力を広げ、石にロマンティックな夢を抱くことができるのは、構造物としての生彩ある現実感が希薄な場合のみである。ある構造物の一部が重力感を失っているのは、それを支えている別の部分がより大きな重量を担っているにすぎないからである。つまり、いくつかの要素を演じる戯れが貧弱になればなるほど、想像の力が自由に発揮されることになる。イタリアの建築は石と大気の関係で成立している。一方、キングズ・カレッジの礼拝堂から私は、植物と水の単純で躍動感を欠いた関係しか感じとることができなかった」[☆4]。

チェッキが語ってから約二〇年後、ダゴベルト・フライはペヴスナーのテーゼに先んじて、イギリスの建築は二次元的であるという指摘をおこなったが、彼の研究は戦時中に刊行されたために、いまだにふさわしい評価を得ていない[☆5]。イギリス人は空間を線的に、また平面的にとらえる感覚をもっている。典型的な例はリンカーン大聖堂のファサード（図9）であり、そこでは小アーチを無限にくりかえすというモティーフで表面が装飾されている。イギリスのもっとも独創的な「垂直様式」建築ほど平面的で線的なものがほかにあろうか。イギリスで開花したもうひとつの偉大な建築様式であるパッラーディオ様式でさえ、表面は精巧で格子状に分割されており、「垂直様式」建築と比較すると、どちらも同じ血を引いていることは一目瞭然である。

「平滑」（smoothness）、「柔和」（softness）、「繊細」（delicacy）、これらこそがイギリス芸術の主張である。それはゲインズバラとバーン＝ジョーンズのようなきわめて異質な芸術家たちにも等しく見いだされるものである。語尾変化やシンタックスが最小限なものに還元されている英語もまた、骨格を欠いた言語と言いうるのではないであろうか。ともあれ、美術の分野に話をかぎることにしよう。ペヴスナーは自らの著作の最後に述べている。イギリス性という特徴についてはなんら決定的なことなど主張できない。国民性はプロクルステスの寝台［強制的に一致させるもの］ではなく、すなわちその特質は永久不変ではなく、たえず変化している。

それゆえ、いついかなる時にも新たな可能性が生じ、それによってわれわれは、自らのものとしている既存のカテゴリーを再検討する必要にせまられる。そして実際に、イギリス国民の歴史の流れには重要な変化が刻印されているのである。イギリス芸術のいくつかの特徴を確定したペヴスナーの歴史的な記述は印象深いものであり、チェッキやフライの考察とは独立してペヴスナーがその結論に到達し、しかもフライのそれと一致したことは、そこに真理の基盤――哲学者が欲しているあの客観的な基盤――があると認めるべきであろう。

これまで述べてきたことから、少なくともイギリスにはバロック芸術の誕生をうながす好ましい条件が生まれなかったことが理解しうるであろう。しかしながらイギリスにもバロックは存在した。それは遅れて到来し、二、三の芸術家の中にのみ花開いたという事実が、イギリス芸術のなかで彼らに例外的な性格を帯びさせ、この例外的な性格がイギリス芸術にすでに定まった規範が存在していたことを証明している。

イギリスのバロック派はひとつの世代のなかで開花し、天才的な二人の芸術家、ニコラス・ホークスムア（一六六一年～一七三六年）とジョン・ヴァンブラ（一六六四年～一七二六年）を創出した。彼らの各々がどのような貢献をなしたのかを確定することはむずかしい。というのは、両者はきわめて密接に協力して仕事を進め、同じ源泉――ベルニーニ、ジャン・マロ『フランス建築』のなかの図版に表わされたバールベク［エジプトの太陽都市ヘリオポリス］の廃墟、そしてクロード・ペローが註をほどこしたウィトルウィウス『建築論』の一六八四年の増補第二版の挿絵――から想を得ているからである。

ジョン・サマーソンは『イギリスの建築——一五三〇年から一八七〇年へ』のなかで発展させた仮説でこう述べている。[☆6]「当該の建築物の斬新な構成様式は、とりわけヴァンブラに負っている。しかし、この革新にふさわしい表現様式を見いだしたのはホークスムアである。当時刊行されていた入手可能な原典、あらゆるジャンルのイギリス建築についての深い知識、建設に携わった長い経験、そしてとくに建築に内在する固有の価値の再発見が、ホークスムアをしてヴァンブラの様式を実現可能にしたのである」。

ヴァンブラは、ヘント出身の亡命フランドル人の息子で、はじめは軍人となり、ついで喜劇作家となった。一六九九年、突如、かのスフィフトの言うように「思索も教示もなしに」建築家に早変わりし、カーライル伯のためにハワード城（図10）の設計をしている。たしかにヴァンブラは量感と三次元性にたいして生き生きとした感覚をもっているが、フランドルに出自をもつことが彼にこれらイギリスの芸術とは無関係の特徴を与えた、と説くこともできるであろう。[☆7]しかし、イギリスでこのような特質を具えた最初の建築はクリストファー・レン卿に委ねられたが、実際はホークスムアが設計したロンドンのクライスツ・ホスピタルのジョン・ムーア卿の習字学校（一九〇二年にとりこわされる）であり（図11）、その建造年は一六九二年から一六九三年にかけてである。

イニゴ・ジョーンズ以来、古典的なオーダーを導入し、建築の表面に遊びを与えようとしたイギリス建築の伝統にとって、これは急激な変化を意味している。クリストファー・レンにしても、円柱は建物の骨格となる基本構造を強化保護するための、もしくは覆い隠すための壮麗な垂れ幕と同じようなものと感じていたにすぎない。サマーソンの見るところ、量感と量感の協和する関係、無垢の壁に開口部がもたらすリズム感、あるいはひとつの面がもうひとつの面とかたちづくるコントラスト、これらの感覚がレンには欠けている。

レンにとって建築とは、建築における「ラテン語」であり、その文法は正確に遵守されねばならず、この言語を当時の世界の要求に供するときにはその精神を損なわないように留意しなければならなかった。新たに出現した造形言語はレンを当惑させた。彼が制作した簡潔なファサードは安定した印象を与えず、つまり円柱の配された中央部分に、アングルとコーニスと窓枠からなる構造に、支持体を神経質に求めているかのように見える。レンの関心は、平面や量感をまとわせるモティーフに向けられ、平面や量感そのものにたいしてではなかった。しかし、習字学校のデザインに見られるのは明らかにそれとは異なる感覚である。この建物はたしかに単純ではあるが、堅固な側面と開口部の見事な均衡、中央部のファサードに見られるコーニスの連続、建物の角の部分に配された幅広い付け柱が、堂々とした安定感を与えている。たしかにホークスムアにはフランス（ペロー）からの影響がうかがえるが、彼がつくりだした新しい造形言語には真の感受性を認めるべきであろう。

ホークスムアは、レンと一緒にホワイトホールの新宮殿の設計（図12）に携わることになる（一六九三年頃、しかし実現されなかった）が、その設計は、とくに巨大なコリント式オーダーを採用するという点で、ベルニーニのルーヴル宮の計画案から明確な影響を受けている。量感の劇的な対比によって生じる全体の統一感が、古典的な諸要素の巧みな配置により量感の効果を得ようとしたレンの経験主義にとってかわったのである。もしホワイトホールの宮殿の設計図をイギリスのバロック派の初見参とするならば、ヴァンブラの設計したハワード城（図10）、そしてとくにブレニム宮（図13）はその頂点を表象している。どちらの建築もグリニッチ・ホスピタルを設計したレンのデザインに遡ることができるとはいえ、そのデザインが、左右に張りだしたパヴィリオンの長方形の量感の戯れによって力強いものとなったのは、フランスの城館建築――クロミエールとリュクサンブール――の設計図からの影響である。コリント式の前廊をもつ建物の中央部は、張りだしたパヴィリオンにそって次々と連なる柱廊において浮かびあがるドーリス式の副次的オーダーを隠しもっているが、独立したひとつの統一を形成している。

これらの張りだしたパヴィリオン自体がひとつの統一をなし、連なった柱廊は直角に交わる部分において存在を際立たせ、日常施設――厨房と家畜小屋――のある中庭に連なり、そこで主題はふたたび変化する。ドーリス式のオーダーの連続が全体を結びつけることによってドラマ性は見事に保持され、正面アーケードにまでおよんでいる。この正面アーケードは、左右に張りだすたいそう重々しい二つの別棟があるため自らの重力感を失っているが、その欠如

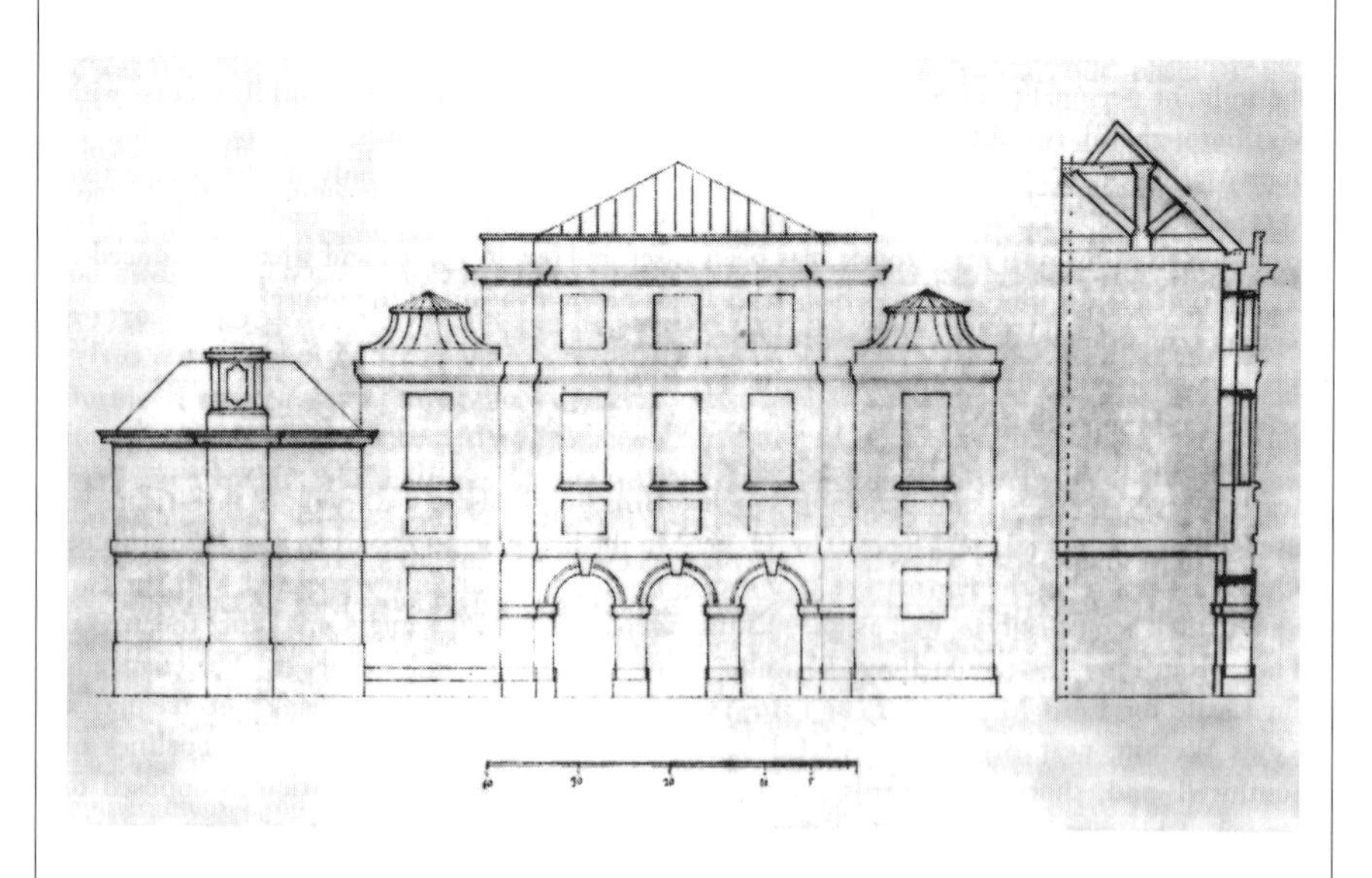

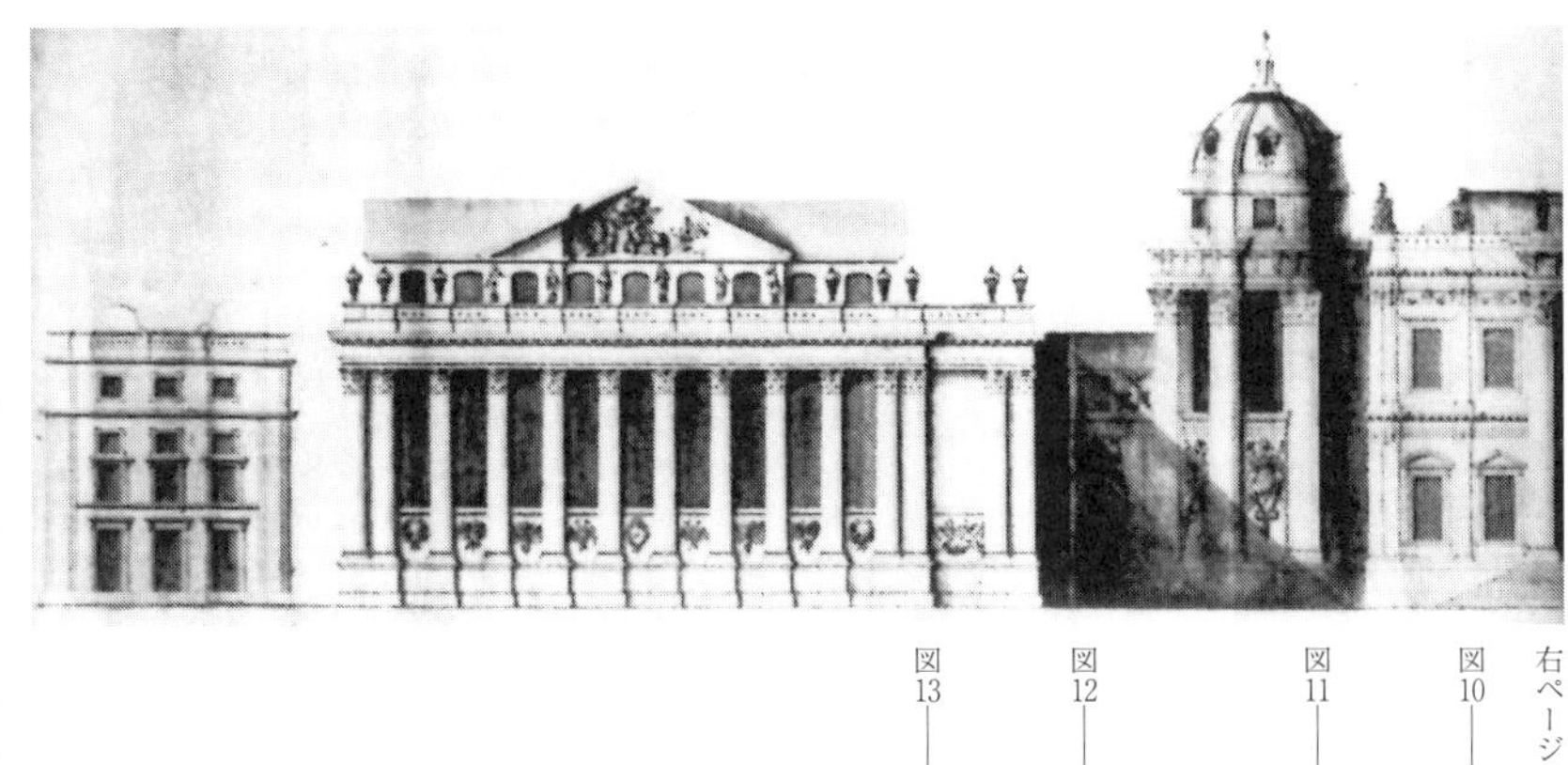

右ページ
図10――ジョン・ヴァンブラ
ハワード城　一六九九～一七一二年
ノース、ヨークシャー

図11――クリストファー・レンとニコラス・ホークスムア
ジョン・ムーア卿の習字学校
一六九二年～九三年
ロンドン　クライツ・ホスピタル

図12――クリストファー・レンとニコラス・ホークスムア
ホワイトホールの新宮殿　設計案
一六九九年頃

図13――ジョン・ヴァンブラ
ブレニム宮
オックフォードシャー　一七〇五～二四年

感は上方において補完されている。というのは、破風の向こうにまた別の破風がそびえていて、それが劇的に後方に退いていくからである。

この宮殿は屋階と尖塔が大空にくっきりとした輪郭を描き、アーチを有した屋階という着想はペローのローマの廃墟を描いた板絵（現在はボルドーにある）にまで遡ることができるであろう。そして、パヴィリオンの屋階の角を高く飾っている、先端に球状の飾りをつけた小尖塔は、建物に重厚で勇壮な特質を与えており、ここに欠けているのは、平面的効果を自然なかたちで生みだすために排された、ローマの石灰華（トラヴェルティーノ）の鮮やかな色彩だけである。この色彩にかわって、黄ばみ、汚れ、表面の荒れた雰囲気が外観を覆い、それが全体の荘厳さをいちじるしく損なっている。☆8

イタリアの舞台芸術の影響のもとにヴァンブラは、自己の作品に奇矯な中世的要素――一七一一年にグリニッチに自らの邸宅として建てたヴァンブラ城、小さなバスティーユ［要塞建築］（図14）は小塔と狭間を備えており、こうして始められた折衷様式はこの世紀の終わりには規範（ノルマ）となる――を採りいれ、彼が最後に建築した邸宅では量感の効果をいっそう追求し、奇抜な手法で挿入された古典的要素が鮮やかに浮かびあがっている。こうしてグリムソープ（図15）やシートン・デラヴァルの建築（図16）は、ルドゥーやブーレーのような、一八世紀後半の革命的な新古典主義の芸術家のもたらす量感豊かな効果に先駆している。☆9 このイギリスのバロックの建築家の小グループのなかで、チャッツワースで仕事をしたトマス・アーチャーだけが、ローマの偉大なバロックの建築家の作品を直接知っていた（図17）。彼は、ヘイスロップのために、ベルニーニのルーヴル宮の計画案とパラッツォ・オデスカルキから想を得ている（図18）。

そして、彼の最後の作品は、サマーソンの言葉に従えば、いたるところに「フランチェスコ・ボッロミーニ、イタリア建築の『恐るべき子ども（アンファン・テリブル）』、すなわち、数年後には、あたかも優等生が売春婦を見るがごとく、イギリスの建築家がみなさざるをえなかった人物の、奇異で常軌を逸した様式を想いおこさせる」。一六九二年に始まったイギリスのバロックは、ほぼ一七二五年まで続き、今われわれが簡単に触れたモニュメンタルな建築だけではなく、アン女王

図14――ジョン・ヴァンブラ
ヴァンブラ城
グリニッチ　ロンドン　一七一七年頃

図15――ジョン・ヴァンブラ
グリムソープ
リンカーンシャー　一七二二年開始

図16――ジョン・ヴァンブラ
シートン・デラヴァル
ノーサンバーランド　一七二〇年〜二九年

トマス・アーチャー
図17———カスケード邸
チャッツワース　ダービーシャー　一七〇五年
図18———ヘイスロップ・ホール
オックスフォードシャー　一七〇五年頃

ペーテル・パウル・ルーベンス
図 19 ———《ジェイムズ一世の寓意的栄光化》一六三三年〜三五年
ロンドン　ホワイトホール　バンケティング・ハウス天井画

ロバート・ストリーター
図 20 ———〈シェルドニアン劇場の天井画〉一六七〇年
オックスフォード

とジョージ一世の時代に建造されたかなりの数のバロックの聖堂がロンドンには残されている。しかし、イギリスのバロックは、イギリス美術史上のひとつのエピソード、ひとつの短い、そしてある意味では輝かしい逸話であったのである。

イギリスのバロックが、建築に関する、たとえその内容は充実していたとしても、短い一章で語りつくしてしまえるならば、絵画についてはE・K・ウォーターハウスが著わした『ブリテンの絵画――一五三〇年から一七九〇年まで』の次の短い一節で十分であろう。[☆10]

一七世紀という時期に、ヨーロッパの大きな芸術運動のどれひとつとしてイギリスに足を踏み入れたものはなかった。バロック様式の伝搬は、とくにカトリック諸国に見られ、ルーベンスはホワイトホールのバンケティング・ハウスの天井に高貴な作例(図19)を残した。突如出現したピューリタン教徒の体制がその後続を断ったのである。カラヴァッジョの名と結びつけられるリアリズム運動は、その最良の画家のひとりオラツィオ・ジェンティレスキをチャールズ一世の宮廷に送ったが、それも無益であった。プッサンの古典芸術はイギリスでは無視され、プッサンの追随者とルーベンスの追随者とのあいだでくりひろげられた大論争は、この世紀の末にパリの街を沸かせたが、ロンドンではなんら反響がなかった。ただフランスを自分たちの趣味の模範としていたイギリスの宮廷と貴族たちは、フランスの邸宅の数々の階段や天井に、ところせましと神話画もしくは寓意画の大作を並べることが流行になっていることに気づいた。

そしてバロック絵画がもはや初期の衝動的な力を失い、装飾的な通俗性におちいったとき、水で薄められたバロック絵画がブリテンの諸島に招来されたのである。イギリスのバロック絵画は、一介の地方画家ロバート・ストリーターによるオックスフォードのシェルドニアン劇場の天井画（図20）の装飾によって開始された。この流れを汲む装飾を外国からイギリスにやってきた職人たちもほどこしたが、彼らのもっとも高名なものでも、ストリーターより優れていたわけではない。多くのこうした人物のなかで二人の名が記憶にとどめられたのは、彼らの描いた壁画と天井画をポープが揶揄したからにほかならない。「そこでは、ヴェッリオやラゲールの描く聖人たちがだらしなく横たわっている」。

われわれは先に、線的で平面的な感覚がイギリス人の特徴となっていると述べた。そのことを想い起こすならば、なぜイギリスではルネサンスやバロックの絵画が開花しなかったのか、そしてなぜイギリス人の理念が、イギリスにおけるホルバインの成功（図21）とホガースの蛇状曲線による美しい線（図22）の理念、そして形態の本質が装飾と色彩に解体した時代であるロココ——ロココの技法をそれとは正反対の教訓的で合理的な傾向に適用したホガースの技法——の理念に合致したのかが理解されるであろう。したがって、バロック彫刻の章は、イギリスに関するかぎり、なぜ空白なままであるかが理解されるであろう。

ヴェルフリンのバロック論が熱狂的に歓迎されていたときに、その圏内に身を置いていた人ならばだれでも知っているように、歴史的・芸術的カテゴリーの文学への適用が恣意的であったことは事実である。[☆11] しかしながら、創造的な綺想主義（コンチェッティズモ）——私の理解では、機智に富んだ用語の配列によって詩にほかならぬ「第三のもの」（tertium quid）をつくりだすこと[☆12]——と創意に満ち驚嘆を呼び起こすバロックの建築および絵画とのあいだに、また一七世紀の多くの詩人に見いだされる、観察された事物の実相（レアルタ）を音によって再現する卓越した技巧にいたる自然についての生気あふれる感覚的な把握とバロックのひとりの彫刻家——《アポロンとダフネ》（図23）を創造したベルニーニ——において見いだされる彫像の表面に象られたさまざまな自然の本性の特権化とのあいだに、そして、バロックのもっとも偉大な建築家たちがドラマティックに達成した多様性のなかの統一感とシェイクスピアのほとんど無数といってもよい多彩な光景を自在無礙に絢い混ぜた戯曲の構造とのあいだに、呼応しあう趣好が存在していることは疑いえない。

イギリスの文学的趣好が一七世紀様式（マニエリスム）の方に向かわねばならなかったことは、エリザベス朝の偉大な文学の起源そ

図21――ハンス・ホルバイン
《大使たち》一五三三年
ロンドン　ナショナル・ギャラリー

図22――ウィリアム・ホガーズ
《当世風の結婚》一七四三年
ロンドン　ナショナル・ギャラリー

図23――ジャンロレンツォ・ベルニーニ
《アポロンとダフネ》一六二二年〜二五年
ローマ　ボルゲーゼ美術館

のものを考えれば避けがたいことであった。イギリス人は、いわばイタリア・ルネサンスの最終的な局面のみを学びとったのである。そのときにはすでに、騎士マリーノという新星が地平線に姿を現わしていた。いわゆるイギリス・ルネサンスが遅く始まったことは、私が別の著作で詳しく述べた[☆13]ように、なぜ綺想主義の鉱脈——リリーのユーフュイズムの誇飾体、シドニーの綺想——が最初からイギリス・ルネサンスを特徴づけていたのかを説明してくれるであろう。

かつての批評家たちは、これらイギリスの形而上詩——ドライデンが与えたこの定義は後世にあまねく知れ渡った——が、ほかの国ではマニエリズモ、ゴンゴリスモ、セチェンティズモ（一七世紀主義）、コンチェッティズモ（綺想主義）という名称が与えられた現象とある点では対応していることを研究した。しかし、それらの研究で明らかにされなかった区別をここでおこなう必要がある。実際、一九一〇年代にジョン・ダンの詩に関心が蘇ったときには、美術史にはヴェルフリンが有名な著作『古典芸術』（初版一八八八年、第二版一九〇六年）において提示した、ルネサンスとバロックというカテゴリーしか存在していなかった。

当時注目されていたとはいえ、マニエリスムは主要なカテゴリーとしての権威を与えられておらず、それが実現されたのは、ヴェルフリンに続いたヘルマン・フォス、ヴァルター・フリートレンダー、そしてほかの多くの人びとの研究に負っている。当初バロックと理解されていた一六世紀末から一七世紀前半のイギリス文学の特徴も、より注意深く観察してみれば、明らかにマニエリスム的であることが確認された。いやむしろ、はじめはバロックに重なるのではないかと見える文学上の特徴だけが眼に映ったが、次いでマニエリスムに属する特質、しかもそのより顕著な特質が現われてきたと言ってもよいであろう。そして、実際にマニエリスムが再発見された時代にダンへの関心が再燃したという事実自体が、このことを確証している。ダンが現代人を魅了するのは、彼のマニエリスム的な特質に現代人と共通するものがあるからである。[☆14]

ドライデンとサミュエル・ジョンソンの研究以降、イギリスの文学世界から姿を消したダンと形而上派——たとえば、おおいに流布した一九世紀のアンソロジー、F・T・バルグレーヴの『黄金の宝』（*The Golden Treasure*）のページをめくって彼らをいくら探しても見つけることができないのがなぜかと言えば、そこで扱われている主要な作品がマーヴェルの「彼らの内気な奥方へ」なのであるから——の再発見は、偶然につぐ偶然の結びつきによってもたらされた。

ジョン・クリフォード・グリアソンという、この英文学の高名な教授は一九六〇年二月に九四歳で亡くなったが、一八九四年アバディーン大学の英語学講座の教授に指名されたとき、前任者がジョン・ダンについて講義を準備していたことを知るにいたった。こうして彼の研究は一七世紀に向かい、『一七世紀前半のイギリス文学』（*The First Half of the Seventeenth Century*,1906）という一巻が著わされ、そして豊富な註を付して準備された校訂版『ジョン・ダンの詩』（*Poems of John Danne*）は一九一二年に二巻本となって刊行された。詩人T・S・エリオットは、ハーヴァード大学で一九〇六年から翌年にかけてブリッグズ教授のダンに関する講義を聴いているが、それが彼の念頭に残っていたかどうかは断言しがたい。しかしグリアソン教授の校訂本が彼に強烈な「認知の衝撃」（shock of recognision）をおよぼしたことは確実である。

ラフォルグの影響を受けて、また一方でエズラ・パウンドが一九一〇年に『ロマンスの精神』（*The Spirit of Romance*）において啓示したダンテ、およびその周辺の詩に感銘を受けて詩作を始めたエリオットは、ラフォルグと一七世紀のイギリスの詩人とのあいだにある類似性が存在することに衝撃を受けた。そして彼は、西洋の詩には「形而上的な」三つの契機があり、ダンテやラフォルグ、そして自分自身の詩と同様に、ダンの詩の根底に見いだされるのは「統一的な感性」、あるいは思惟と感覚の統一——「思惟の感覚的把捉」（sensuous apprehension of thought）——の詩学であるという定理を展開した。それゆえ、ダンが現代人に与えた影響について論じたフランク・カーモード教授は数年前に、「ダンは驚くべき仕方でラフォルグ風のフランス詩人に変容させられた」[☆15]と述べており、この言葉はあながち的外れなものではない。

詩的想像力と実証的思惟の乖離を惹き起こしたフランシス・ベイコンの理論が説かれるまでは少なくても存続していたであろう、この統一的感性の理論が実際に事象の状態に照応していることは相対的な重要性を有している（この見解に対する異議申し立てについては後述する）。歴史的な正確さはたしかに求められるべきものであるが、だからといって、それだけが強調されるべきではない。

一方、詩の生命力は、次に続く世代がそこになにを見いだすかに多くが依存している。「統一的感性」というエリオットの解釈がひとつの神話にほかならないとはいえ、この解釈は、形而上学派の再発見が現代の詩と批評に与えた効果を評価するための積極的な基盤を提供した。統一的感性、現実のすべてを包摂する詩、それらはバロック芸術すべてに見事にあてはまると思われる公式である。さらにこの公式は、ダンテの『神曲』のような詩にもあてはめることができる。こうして詩（ポエジア）と非‐詩（ノン・ポエジア）を判別し、神学的枠組みのなかの詩と真正の詩を判別しようとしたクローチェの試みは挫折する。

この理論に照らしてみれば、綺想も、詩の主題への論理の適用も、相異なるさまざまな知の領域から抽出されたイメージも正当化される。それゆえ、ジョン・ダンのなかには、バロックの趣好をもっとも明白に代表しているひとりの人物像が認められるのである。一方、ダンの詩において、個々の詩行ではなく詩節によって統一が果たされているという事実、また弁証法的に組みあわされた要素全体からその効果が生まれているという事実は、ただちにバロックの構成を統括している原理を想い起こさせる。

エリオットは一九三六年に刊行された『ジョン・ミルトンの詩についての註釈』のなかのある箇所で、ダンの詩をミルトンの詩と対比させるにいたった。[☆16] ミルトンはもともと洗練された官能性を具えていたが、のちに彼のこの官能性は書物重視のペダンティックな教養のために枯渇し、その結果、技巧を凝らした型にはまった語法が生まれるにいたった。彼は、英語をすでに死亡した過去の言葉であるかのように語り、音楽的な効果、すなわち韻のためにすべてを犠牲にし、詩を荘厳な戯れのレヴェルまで頽廃させた。しかしながらミルトンもまた、のちに見るように、バロックのある局面を代表しているのであろうか。もしそうだとすれば、ダンのバロックは別のタイプに属するのであろうか。あるいはまた、ダンの場合には何か別の様式に関連しているのであろうか。それにもかかわらずダンは、エリオットが彼のなかに見いだしたあの思惟の力と感覚の力との完璧な融合、あの思惟と感覚の統合を表現しているのであろうか。

ダンを再発見した人びとは無条件に熱狂したが、そのあとに続く評価は抑制されたものとなった。ロザモンド・テューヴが忠告したのは[☆17]、過去の詩人を現代の理論に照らして解釈する危険性――感性の分裂という理論は、実際にはベイコンやホッブズからの有害な影響を受けたのであろうが、コールリッジに負うところの多い芸術におけるイメージの過去への投影――であり、そしてクレイ・ハントは、エリオットによればダンがもっていた「統一的な感性」について多くの留保をつけている。[☆18] それどころかダンは――ハントによれば――彼を麻痺させる内的制約と悪戦苦闘していた。

ダンには、壮麗な儀礼行進、スペクタクル、神話的隠喩、女性美をそれにふさわしい官能的な言語で叙述するという、スペンサーやエリザベス朝の時代の人びとがもっていた豊かな官能性がまったく欠けていた。ハントの指摘によれば、ミルトンの方が感覚の精神性に満ちており、「感性の統一」についても、ミルトンの詩「荘厳な音楽を聴きながら」('At a solemn Music')は、ダンのいかなる詩より説得力のあるイメージを喚起する。それゆえ、そこでは観察された事実は想像力のつくりあげた構成によって確固としたものとなり、思惟は、感覚作用や身体的情動から次第に発展し、完全に有機的に統一された意識の図式の中でそれらと共働するにいたる。

マーヴェルが豊富な例を与えている感性の陰影を、ダンに求めてもむだであろう。ダンは、ひとつの頭脳であり、社会的感覚を欠いた自己中心的な人物であり、自身が優れた分析家で科学的な人物であったため、たとえ知的なパズルだとしても、宗教の神秘に触れることを禁じていた。彼自身の死への偏執は、彼の昂じた自己中心主義を高めるのに役立っただけで、人間や事物の共有する避けることのできない運命に寄せる共感をともなっていない。至福の天才にはたびたび起こるように、ダンの感性はいかなる種類の経験をも吸収することができず、それゆえいつも制約を受けていた。彼がわれわれの世紀で大きな脚光を浴びるようになったのは、彼を麻痺させた制約が現代の知的世界をおおっている制約と重なりあっているからにほかならない。

なぜ現代人はダンに魅了されるのか。死や罪を長々と論じる説教や宗教詩、とくに前者に見いだされる死にたいするリアリズム、その薄暗い光はセビーリャの慈善病院にあるバルデス・レアールの二枚の有名な絵画をわれわれに想い起こさせるが（図24・図25）、この観点は現代人をさほど魅了しない。現代人はこの観点よりもむしろ、彼の叙情詩の「蛇状曲線（リネア・セルペンティナータ）」と呼ぶことができる、曲がりくねった詩調に惹きつけられるのである。事実、ダンにおいて主要なものは、すべて人の関心を惹きつける意外な機知や綺想ではなく、すでに述べたようにあの弁証法、オデット・ド・ムールグが指摘したように、フランスのモーリス・セーヴの詩と類似し、分析をさらに進めればペトラルカへといたる弁証法なのである。[☆19]

フォンテーヌブロー派の絵画がすでに花開いていた一五四四年にセーヴが書いた『デリー』（*Délie*）がマニエリスムの詩であるとするならば、ダンの恋愛叙情詩もまた、バロックの詩というよりもマニエリスムの詩という呼称にふさわしくないはずはない。このほかにもマニエリストの手法との類似には事欠くことがない。たとえばブリューゲルがよく用いた、前景に副次的な細部を置いて強調する手法は、ダンの「愛の神様」（'Loves Deitie'）に採りいれられているのを見いだすことができる。「大昔の恋人の幽霊と、話してみたい」（湯浅信之訳）という一句で始まるこの詩は、通例とは叙述の流れが逆転させられている。

この詩人は、人は報われることなく愛することができるという事実への驚きを表現したかったのである。このような驚きからはごく自然に、「いつの時代でもかくのごとくあったのか」という質問が導きだされるであろう。この質問にたいしても同じく自然に答えがでてくる。「誰よりも女を深く愛した男でも、嘲る女を愛すほどに身を落とさなかったと思う」。こうした思考の展開は、きわめて常識的なものであろう。

図24――ファン・デ・バルデス・レアール《この世の栄光の終わり》一六七一年頃
図25――《束の間の命》一六七一年頃　セビーリャ　サンタ・カリダー病院

しかし、ダンはその過程を逆転させて、叙述の最大の力点を全体の中では副次的と言ってもよい着想に、すなわち「このことについて大昔の恋人たちに聞いてみたらさぞおもしろいであろう」という着想に置いた。そして彼は、この着想を直接的で強い願望というかたちで表現した。「愛の神様が生まれるまえに世を去った、大昔の恋人の幽霊と、話してみたい」。冒頭にこの一行が置かれているので、あたかも彼が誤って書きはじめたのではないかという錯覚をわれわれは一瞬抱くのである。

ダンの再発見は、彼が「バロック」の詩人であるとする誤った印象から、あるいは誤っていないとしても一部しか見ていない印象からもたらされたが、それはイギリスの形而上派の起源を探究する研究を生みだし、また一方ではシェイクスピアにたいして従来とは異なる観点からの関心を向けさせた。[☆20] 一九世紀の批評家たちは、哲学的ならびに心理学的観点から好んで登場人物の個人的性格に着目したのであるが、イメジャリーについては、演劇的背景は物語の筋にあわせてつくられている、という類いの曖昧で漠然とした認識で事足りるとしていた。

二〇世紀になってバロックに栄光が戻ると、一八世紀の文学ではイメジャリーこそとりわけ特徴的なのである、という事実に批評家の関心は向けられた。シェイクスピアの戯曲も、状況劇あるいは哲学論議としてではなく、自らの感性をある特定のイメジャリーの流れに向けたこの詩人の、豊かな想像力によって感得されたモティーフとして研究されることになった。こうしてキャロリン・スパージョン、[☆21] ヴォルフガング・クレーメン、[☆22] エドワード・A・アームストロング[☆23]の研究が生まれたのである。

クレーメンはシェイクスピアが用いる直喩のさまざまな段階を識別した。初期の戯曲においては、イメジャリーは通例たんなるアラベスク文様を描き、その使用法もジョン・リリーやフィリップ・シドニーが実際に用いたものとあまり大差はないが、円熟期の戯曲においては、イメジャリーは真正な象徴となり、主題にたいする詩人の態度の指標となっている。それはもはや装飾的なものではなく有機的なものとなり、クレーメンの言葉によれば、イメジャリーは「実際に生起した出来事の雰囲気を伝える背景」（stimmungsmässige Untermalung des Geschehens）となるのである。ドラマはイメジャリーからその特徴的な色彩を受けとる。そして、この深い統一性と有機性こそ、バロック芸術の最良の作品を特徴づけているものなのである。

私は、形而上詩についての関心から、いかにしてその先駆者を探求する試みが導きだされたのかを述べてきた。この関心から、ジョージ・チャップマンが注目を浴びることになった。この詩人を細部にいたるまで探索した最初の研究者F・L・シェールが言及しているように、チャップマンの詩は「ダンの詩と同じく中世の形而上学に深く根を下ろしている」[☆24]。そしてチャップマンの「感覚的な思惟」(sensuous thought)が展開するジャンルはダンのそれに近い。ほかの詩人ならば直接的な体験から受けとる戦慄を、チャップマンはダンと同様にしばしば神学や倫理学の論考、枝葉末節に固執する注釈書や辞書から受けとった。

チャップマンの作品では、イメージは密生し迷宮を描くがごとく立ちのぼる。彼の詩と悲劇は道徳的な教訓を授けるが、それは形象(フィグーラ)を介して教示される。つまり彼は、エンブレム作家と同じ心性(メンタリタ)を具えているのである。たとえ『オウィディウスの感覚の饗宴』(*Ovid's Banquet of Sense*)のように、エンブレムへの意図が直接的に表明されていないときもあるが、この戯曲に頻出するイメージは真正のエンブレムなのである。チャップマンにおいて、イメージとそのイメージが表現する倫理的含意は、エンブレム作家におけるのと同様に並置されている。倫理的含意がおのずからほとばしりでることはまれで、むしろそれは真正の詩的象徴のごとくイメージのなかに暗示されているのである。両者はしばしば完璧に一致することはなく、不完全さや不釣合いを生みだすこともある。

これをホームズは「もうひとつのジャンルの美」と読んだが、典型的なマニエリスムの美とも呼びうるであろう。それは婦人の胸元をひきたたせる「葉状の縁飾り」(applique)のようにいささか気どった優雅さである。それはシェイクスピアに見いだされる、熱い霊感そのものからおのずと噴出する有機的なイメージではない。チャップマンもまた、マニエリストたちの抽象化への傾向性を所有している。

シェイクスピアにおいては、イメージはそれ自体すでに象徴的な意味を帯びているのにたいして、ジョージ・チャップマンの精神は、ドラマの具体的な状況から抽象的な観念へと進み、そこから一群のイメージによって表わされる具体的なものへと立ち戻る。そのイメージは、最良の場合には詩人の熱情そのものと溶けあっているが、通常の場合には、あちらこちらの典拠から寄せ集められて、イメージの堆積と化している。彼のなかには、しばしばマニエリスムの画家たちに見られるような事物の正確な様相からの乖離や歪曲とともに、感覚によって把捉しうるものと感覚を超えたものとの融合が存在する。チャップマンは、その最良の瞬間においてのみ、才能は劣るが情熱的なもうひとりのダンであったと言いうるであろう。

両大戦間に起こった「形而上的」な詩にたいする激しい熱狂に続いて、すでに述べたように抑制されていたとはいえ、それにたいする反動が生じるのは避けられないことであった。すでにわれわれは、いかにしてこの流派の先駆者が探求されたかについて考察した。近年、それとは対立する関心から、この「形而上的」という用語の範囲を限定し、その重要性を低く見積もろうとする試みが見られる。

アメリカの学者ルイス・L・マーツが『瞑想の詩——一七世紀のイギリス宗教文学の研究』のなかで示したのは、プロテスタント期のイギリスにおいてさえもイエズス会の影響を強く受けた「反宗教改革」の敬虔な文学がいかに流布していたか、またダンが詩作のうえでこの文学からいかに霊感を受けていたか、さらにダンの伝統よりもむしろ、ロバート・サウスウェル（一五六一年～九五年）の伝統を語るのがいかにふさわしいか、という点である。[☆25]ロバート・サウスウェルは、イエズス会に属する殉教を遂げた神父で、タンシッロの詩「聖ペトロの涙」（'Le lacrime di San Pietro'）の模倣者、ヨーロッパ大陸的な聖なる瞑想詩の作者、そして、きわめて独創的な詩「燃ゆる幼子」（'The Burning Babe'）の作者である。

この詩では、そこで詠われる聖愛のエンブレムのなかに見られるアレクサンドリア主義は神秘的な法悦と融合し、炎と涙というペトラルカに起源が求められる綺想主義の伝統は情熱的なバロックの幻想に接近している。ルイス・L・マーツは、その手法が一七世紀のイギリスの多くの宗教詩に浸透していると思われるイエズス会士ルイス・デ・ラ・

プエンテの『瞑想』（*Meditazioni*）——英語版は一六一九年にセントメールで刊行——とヨハネス・マウブルヌスの『瞑想の階梯』（*Scala Meditationis*）に言及して、「形而上的」という用語を「瞑想的」という別の用語に置き換えることまで提案している。

これらの作品やサウスウェルの「マグダラのマリアが流す埋葬の涙」（'Marie Magdalens Funeral Tears'）——この作品の背景にはヨーロッパ大陸の綺想主義の伝統のすべてが存在していた[☆26]——の影響を受けていることが明瞭なイギリス詩人のなかでも、もっともバロックの旗印を鮮明にした例がリチャード・クラショーである。彼について十全に論じた最初の研究は、一九二五年刊行の拙著『イギリスにおける一七世紀主義とマリーノ主義』であった[☆27]。クラショーが文学上の教えをイエズス会のラテン詩人たち——ルモン、カビロー、マラペール——とイタリアのマリーノ——クラショーは彼の詩集『嬰児虐殺』（*Strage degli Innocenti*）所収の「ヘロデの懐疑」（'Sospetto di Erode'）を英訳している——から影響を受けたこと、またクラショーがカトリックへ共感を示した——聖テレサの生涯を読んで、ついにはこの派に改宗することになった——こと、これらが彼をしてイギリスの「形而上的」伝統よりもむしろ大陸の綺想主義に接近させているのである。

そして、クラショーが綺想主義に与えた、大胆で異例な想像力に満ちた霊感によって、円熟期の宗教詩——とくに死後の一六二五年にパリで刊行された『われらが神の歌』（*Carmen Deo Nostro*）に収められている詩など——の表現は、最良のバロック芸術が目指した感覚の精神化のより高次な表現となっている。激しく燃えたぎるイメージ——とくに聖テレサの生涯から霊感を受けた「燃ゆる心」と題される詩などにおけるイメージ——が神秘的で目眩むばかりに飛翔を遂げるクラショーの叙情詩は、一九二五年から私が指摘しているように、たとえそのスケールは小さいとはいえ、絵画においてルーベンスの神格化が、ムリーリョの憔悴が、そしてエル・グレコの法悦が表現したものを文学において表現しているのである。

バロックのさまざまな時期において現われる、その典型的な様相を表現しているミルトンも、クラショーからなにがしかを吸収している（たしかにミルトンの詠うルシフェルは「ヘロデの懐疑」の英訳から霊感を得ている）。天才を分類することは不可能である。つまり、眺める視点にしたがって、ちょうどいわゆる「歪像絵画」（perspective pictures）という、表面に凹凸がつけられていて見る方向を変えると異なったイメージが現われる絵画のように、二つの異なる解釈を可能とする要素を天才は提示しうるのである。上述したように、クレイ・ハントによれば、ミルトンの詩のいくつかは、バロックの到達した最高の成果のひとつと思われる「感覚の精神性」のもっとも高次の例と言うことができる。その一方でミルトンは、新古典主義様式に先駆ける、人文主義の最終段階の最大の覇者でもあろう。

そして彼が、若いころの詩では錯綜した官能を発展させ、円熟期には自らの霊感から聴覚以外のものを排除するにいたる軌跡は、同時代のフランス絵画、とりわけニコラ・プッサンが徐々に色彩よりも素描を優先させるにいたった軌跡と重なりあう。T・S・エリオットがミルトンのなかに見いだした欠点、すなわちシェイクスピアとはちがって「ミルトンの印象は細部の感覚を伝えない」という欠点、また彼のシンタックスの錯綜性は「言葉による音楽への希求によって強いられたものである」という欠点は、タッソの英雄詩の規範にまでその源を遡ることができるものである。私はミルトンの新古典主義的側面にいくつかの考察を加えたが[☆28]、それは一九五〇年にマーガレット・ボットラールによってくりかえし言及されている[☆29]。

私の見るところ、ミルトンこそ、その作品にバロック様式の偉大さを十分に体現した唯一の大詩人である。彼の様式はブレニム宮やハワード城のように壮麗であり、イギリスの伝統とは無縁である。しかし、E・I・ワトキンは、ダンとハーバートをバロック人と規定したのちに、「ミルトンはバロックと呼ばれるにはあまりに古典的で聖書的である」と指摘している[☆30]。これは私には、正確な用語を不正確な仕方で用いるという危険を示す、性急な判断のように思われる。……

ワトキンは「バロック」という用語を反宗教改革に続く精神を語るために用いている。彼はミルトンの作品のなかに、カトリックよりもむしろユダヤ教への傾斜を、そしてある冷ややかさと硬さ（これこそ彼の「古典的」な符牒となるであろう）を見いだして、その結果、ミルトンにはバロックの詩人と呼ばれる資格はないとしたのである。しかし、もしわれわれがバロックの様式上の特徴を想い起こすならば、ミルトンはたしかに気高きバロックの詩人と呼ばれる幾多の理由を有している。クラショーはバロックの甘美で幻想的な女性的な側面を表現した。彼の詩が示している誇張された感性や横溢する感情の動きは、しばしばわれわれがバロックの墓碑彫刻や聖堂装飾において目にするのと同じものである。……

しかしバロックがたんに女性的な様式にすぎないなどと考えるべきではない。パラッツォ・ディ・モンテチトーリオのファサードは勇壮そのものではないか。バロックの建築家たちは、度量と高貴さをもって建造物を構築し、ミルトンが叙事詩を構想したときに『詩篇』を変容させたのと同じ熱烈さと精力を注いで古典的な題材を変容させたのである。ミルトンは、その企図の大胆さゆえに典型的なバロックの芸術家と化している。もし美がルネサンスの理想であるとしたならば、バロックのそれは崇高である。……

たしかにその生涯の終わりに近づくと、ミルトンの野心は新古典主義風に書くことで満足するが、彼の詩の大半の、そして最良の部分はたしかにバロックと多くの類似性を有している。……ミルトンは素材をあつかう仕方においてバロックの建築家と共通している。彼の英語のあつかい方はベルニーニが大理石をあつかうそれと対応している。……ベルニーニのようにミルトンは、素材を自分の正確な意図に、尊大と感じられるほど自在無礙にしたがわせている。……英語で叙事詩的な詩篇を書こうと決意し、彼は言語を自らの目的に適するように調合するのである。……

『失楽園』は聖テレサの礼拝堂に劣らず、卓越した技巧による傑作である。そして卓越した技巧に疑いを向けがちなのがイギリス人なのである。バロックのことを闖入してきた奇妙な様式と感じるイギリス人は好意をもってバロックを考えることはない。イギリスの風土にけっして馴染むことのなかった、この高度に技巧的な様式にたいする先入観を考慮するならば、イギリスの詩人がつくるヒエラルキーに――私の信じるところでは――ミルトンが占める位置が明らかになるであろう。彼がきわめて偉大な詩人、気高き芸術家であることは万人が認めている。しかし、彼は称讃こそされ愛されることはない。彼の影響はしばしば、致命的なものとは言わずとも、危険なものとみなされてきた。結局、バロックの芸術であることは、イギリスの主要な伝統とは無縁であると感じられるのである。

またワイリー・サイファーは『ルネサンス様式の四段階』において次のように述べている。[☆31]

バロックが解放と表現主義的エネルギーを意味するとしても――これは現実にそうであるが――同時に厳粛な均衡、ふたたびうちたてられた巨大な質量感、理想化されたフォルム、そして壮麗で単純化された平面構成、すなわち人びとを圧倒するほどの規模でアカデミックな統合を意味している。ミルトンのバロック的エネルギーと表現性は彼の礼法(ディコーラム)とも、彼の大叙事詩や詩劇の学究的な構造とも、最終的には調和することができる。ミルトンのアダムは、アグッキや当時のアカデミズムの批評家たちのあいだで君臨していたあのジョヴァンニ・ピエトロ・ベッローリが称讃した、古典主義＝バロック的人物像のひとつである。

イギリス文学のバロック性に大いに妥当するものとして語ることができるのは、シェイクスピア[☆32]よりもむしろクラショーとミルトンの場合であり、たしかにボーモントとフレッチャーの演劇、そしてそれ以上にドライデンの演劇はバロック芸術全般と一致する特徴を示している。ボーモントとフレッチャーについては、この観点からマルコ・ミンコフ[☆33]とジュリアーノ・ペッレグリーニ[☆34]が、ヴェルフリンの批評基準に多くを依拠しながら研究を進めている。たしかに歴史‐芸術的なカテゴリーの文学への適用という領域においては、恣意性と蓋然性が不可避ではあるが、ブルガリアの批評家ミンコフのほうがより正確である。
彼の指摘によれば、シェイクスピアの登場人物たちは、ウェブスターやミドルトンのような劇作家の登場人物と同様に、各々が独立した個性を付与されていながらも演劇のなかでは統合された存在として考えられているのにたいして、フレッチャーの登場人物たちはたえず変化し続ける情感の代弁者として考えられている。ルネサンス劇に典型的な現実の客観化が、バロックの特徴のひとつである理念と情念の抽象化にとってかえられたと言うべきであろう。結末が理想的な未来へと投影される悲喜劇（トラジコメーディア）への趣好は、ヴェルフリンのカテゴリーにしたがえば、「開かれた形式」に対応するのであろう。

劇的行為における気紛れを忌避することに明瞭に示されているフレッチャーの統一感を見ても、フレッチャーはバロック的だと言いうるであろう。彼はその劇作品において、二つの縒りあわされた筋のあいだを甘美に往復しつつ、その二つの筋をしっかりと結びつけ、すべてのものをひとつの理念もしくは中心主題に従属させている。ミンコフの下した結論は次のとおりである。「すべてはドライデン、コルネイユ、あるはサックリングのようなバロック演劇の完璧な例ではないにせよ、フレッチャーは明らかにバロックの運動に属している」。

ペッレグリーニにとっても、「ボーモントとフレッチャーの作品の官能主義と精神主義の対比、彼らの劇の荘厳で美辞麗句の満ちた感覚、登場人物の英雄的な身振り、提示された煽情的なモティーフの各々にふさわしい個性をもつ登場人物たちによって表現される美徳と情欲の戦い、相対立するものへの愛、情動と情念の変化と矛盾への愛、これらはあの荘厳で錯綜した作品のもっとも明白なバロック的特徴と思われる」。

ドライデンに関して言えば、一七世紀末に活躍した彼が、フランスとくにコルネイユ[☆35]がつくりだしたタイプの「英雄的」な悲劇（トラジェーディア）に影響を受けたこと自体、彼の悲劇にバロック的性格を与えざるをえなかった。私はすでに一九三二年にこのことについて考察し、例として船に乗って観閲するクレオパトラの描写を引用した[☆36]（ドライデンの『すべて愛ゆえに』［*All for Love*］第三幕「彼女は横たわり手の上に頬を傾けた……」を、この翻案の原作であるシェイクスピアの『ア

図26——ジョヴァンニ・バッティスタ・ティエポロ《アポロンと諸大陸》一七五二年〜五七年 ヴュルツブルク 司教館 階段室天井

ントニーとクレオパトラ』[*Anthony and Cleopatra*]第二幕第二場「彼女の両脇には……」と比較されたい)。

そして、ドライデンがいかに——ルネサンスの様式にしたがって、舞台の光景の細部に一つひとつ注意を向け、場面を統一的遠近法のなかに収斂させせないシェイクスピアとは異なって——クレオパトラの微笑む顔を舞台の中央から周辺へと輝き渡らせたか、その一方で拍手喝采する群衆を舞台の両袖に寄せ集めたかを示した。それはまさにティエポロが、天井画のへりに群衆をひそかに配した(図26)のと同じ仕方であって、その中心には、ドライデン自身が用いる誇張された表現にしたがうならば、「天国かそれ以上のもの」(Heaven or somewhat more)があった。

ドライデンが言葉で描いたフレスコ画の中央ではロマンティックな愛が神格化される。ドライデンは、この愛にうち負かされるものとして、フランスの舞台に登場する崇高な寓意的人物像をすべて、すなわち美徳、名誉、名声を呼びだした。これらはチェーザレ・リーパの『イコノロジーア』(*Iconologia*)に見いだされる象徴でもあるが、ドライデンは彼らに狼狽、恐怖、無頓着というさまざまな身振りを与え、勝利をおさめる魂の君主の足下に置いた。通例はカテゴリーにもタイポロジーにも無関心なイギリスの批評家たちさえも、「英雄的」な悲劇に「バロック的」特徴を認めている。[☆37]

イギリスのバロックについて駆け足で概観してきたが、次のように結論することができるであろう。イギリスでは、フランス以上にバロックの形態が自国の伝統の精神と無縁であり、それの自国への浸透にたいして強い抵抗が示された。浸透するのに成功したのは、建築ではヴァンブラ(彼がフランドル出身であることを忘れてはならない)、ホークスモア、アーチャー、文学ではクラショー、ミルトン、ドライデンのようなヨーロッパ大陸の影響を受けた芸術家たちの作品においてであった。

(一九六〇年[伊藤博明訳])

イギリスにおけるペトラルカ

ダンテは、評価される時代によって見え方が変わるように思われる。イギリスにおけるダンテの名声は、およそチョーサーが死んでから近世の始まりまで長らく衰えていたにもかかわらず、今日の英語詩人のあいだで彼ほど人気のある過去の外国人作家はいないに等しい。イギリスのおもなダンテ翻訳者といえば、チョーサー、バイロン、シェリー、ロセッティ、T・S・エリオットの名が浮かぶが、彼らにはダンテ崇拝はおろか、これと言った共通点は見いだせない。なぜなら、各自がそれぞれ異なるダンテを見ているからである。

これに対して、ペトラルカ礼讃はまったく別の様相を呈している。彼の人物像は、当初から読者たちの内面に固定されて変わらないように思われる。彼は、古典建築のオーダーのような、不変の詩的言語の創造者である。ペトラルカ作品の解釈は、非常にかぎられた範囲内でしか変わりえない。それらを受け容れるか、拒否するかしかありえない。別の光のもとで見直すことは不可能なのである。チョーサーのダンテ、シェリーのダンテ、エリオットのダンテは、かろうじて同じ詩人に思える程度である。ダンテが帯びるこうした多様な価値は、当然ながら、遠く離れた時代に魅力を訴えかける理由となる。ペトラルカは逆に、イギリス・ルネサンスにおいて、外国の詩人でおそらく他(た)に例を見ないほど熱烈に受容された。ペトラルカはヨーロッパを席巻したある流行の起源である。この流行により、ペトラルカ風ソネットという新しい文学ジャンルが定着し、ビザンティン絵画に比肩する定型的な規範を掲げる流派が広範に流布した。二世紀を要して、ペトラルカの詩法は、恋愛叙情詩にとっての俗語のようなものをヨーロッパ全土にゆきわたらせた。そののち、この規範は廃れて消え、二度と再生することがなかったのも、(ロシア工芸を例外として)ビザンティン絵画に起きたことと同じ伝である。

まず、ペトラルカ的な規範と文学に結晶化されたその影響(先ほど指摘したように、絵画における図像学的伝統の影響とよく似ている)の分析に入るまえに、異質な例としてジェフリー・チョーサー(一三四三年頃〜一四〇〇年)の模倣について考察しておこう。

チョーサーがダンテの次に影響を受けたと告白したイタリアの作家は、わが「師匠ペトラルカ」(maister Petrak)[『カンタベリー物語』「修道士の話」二三二五行]である。[☆1] このことは、イギリスのペトラルカ愛好家への文学的影響が寡少だったことを鑑みると、奇異に思われるであろう。チョーサーが、自らの模倣したボッカッチョ作品の一部をペトラルカの著作とみなしたのでないかぎり、『カンタベリー物語』の「オックスフォードの学者の話」の典拠に『デカメロン』の最終話「グリセルダの物語」の、ペトラルカによるラテン語訳を利用したというだけでは、彼がペトラルカに敬意を払っていた理由として不十分に思われる。なお、チョーサーは『トロイルスとクリセイデ』(*Troilus and Criseyde*)第一書において、ペトラルカの『カンツォニエーレ』のあるソネットを変形させている。

おお神よ、愛が　存在しなければ、
我の心がなぜこう疼くのか。
もし「愛の神」が　御座すなら、
神はどのようなお姿をし、どのような神だろうか。
もし愛が　心地よきものなら、我が悲哀はどこから湧き出ずるのか。
もし愛が　悪意に充ちていれば、「愛の神」が齎す苦悩や不幸のすべてが、我に心地よく

愛の雫を呑めば呑むほど、我はいつも喉が渇くのが不思議に思われる。［第一書四〇〇〜四〇三行、松下知紀訳］

この変形版は三詩節からなり、修辞的な疑問文の長い一覧で終わる。

ああ、この不思議な　病は　何だろうか。
「悪寒から生じる熱」、「熱から生じる悪寒」で　我は死ぬ。［第一書四一九〜四二〇行、同訳］

われわれは、ここで二つのことに驚かされる。第一に、チョーサーはソネットの韻律形式にしたがっておらず、着想を借りるにとどまっている。第二に、今から見ると、こうした着想は外国語に翻訳する価値があるとは思えない。なぜチョーサーはソネットの形式を模倣しようとしなかったのであろうか。彼は、フランス語叙情詩の多くの韻律形式を英語の詩形論に適用させるようとする実験に熱心であったが、なぜイタリア語のソネットから刺激を受けなかったのであろうか。

考えられる理由は、彼は単発的にソネットの形式に触れただけで、それは十分な印象を彼に与えなかったというものである。また、ソネットの内容と、そのチョーサーの精神への影響に関しては、その単独の例が、チョーサーがしたがった詩芸術の修辞的範例とあまりに合致していたために、彼の関心から免れたのだと言うべきであろう。『薔薇物語』のジャン・ド・マンが執筆した部分でも（四二九三行以下）、「理性」の女性擬人像は愛のパラドクスについて似た方法で語っていた。ここでわれわれが目にしているのは、現代の趣好とチョーサーの時代のそれとの根本的な差異であり、チョーサーの時代だけでなく、ソネットの流行が最盛期を迎えたエリザベス朝との差異である。

実際、一五世紀の最初の四半世紀にイギリスがペトラルカを発見したとき、翻訳者たちは試みとしてどのソネットを選んだのであろうか。それらは現代のわれわれが選ぶものと同じであろうか。トマス・ワイアット卿（一五〇三年

〜四二年）とサリー伯ヘンリー・ハワード（一五一六／一七年〜四七年）という、この詩形をイギリスに紹介した二人の宮廷人に明らかに衝撃を与えたソネットは、技巧的な対照句（アンティテーゼ）、撞着語法（オクシモロン）など、一般にユーフュイズムの特徴とみなされている綺想に満ちたものばかりであった。内容もさることながらこの点が、いまだ中世的精神に浸された作品も書いていた二人の詩人を魅了した新奇さであった。これら最初のイギリス人ソネット詩人のマニエリスムを説明するには、当時はペトラルカ作品そのものによっても、イタリアのペトラルカ主義者たちによっても、イタリア語ソネットへの外国人の関心があまり呼び覚まされていなかったことを理解しなければならない。

バロックの突飛な綺想を先取りしたと言いうるイタリアのペトラルカ主義者は、一五世紀の第四の四半世紀に詩作したソネット詩人たちである。フランス王シャルル八世が一時的にイタリアを征服した時代に、彼らは大きな人気を博していた。カリテーオ、テバルデーオ、セラフィーノ・アクィラーノ、パンフィーロ・サッソ、バルダッサーレ・オリンポ・ダ・サッソフェッラートは、ソネットの「フランボワイヤン」期と呼ぶべき時代を代表する詩人たちである。ここで、ソネットの歴史について少しばかり述べたほうがよいであろう。

ソネットは、今日確認されるところでは、ジャコモ・ダ・レンティーノというシチリアの詩人により考案され、一三世紀前半に開花した。この韻律形式の構造の起源については多くの推測がなされている。端的に言えば、それは音楽原理にもとづいている。交互韻——ここには、恋心を歌うシチリアの庶民的なストランボットという詩形の韻が容易に認められる——による八つの十一音節詩行（エンデカシッラボ）のうち、前半は偶数音節からなる詩行で構成される。後半——二つの三行詩節（テルツィーナ）——では音節は奇数となる。偶数と奇数の二種類の音節に分かれる原因は、詩が音楽にのせて歌われ、後半に旋律が変わるという事実に求められる。

ソネットは最初期から、後半部に重点を置く傾向を示した。音楽的と呼びうるその特徴自体が、後半部は結末を、絶頂を表現することを前提としていた。そこから、前半を着想への一種の導入部とし、後半の三行詩節で内容を十分に説明する傾向が生まれた。この道筋に沿って、ソネットは古代の人びとにとってのエピグラムと似た機能を帯びるようになった。そのため、一六世紀に『ギリシア詞華集』（*Antologia greca*）や『アナクレオンテア』（*Analceontea*〔古代ギリシアの叙情詩人アナクレオンを模倣した詩集〕）が再発見されたとき、詩人たちはすぐさま二つの詩形の類似性を認め、ギリシアのエピグラム作家たちの世界全体をソネットに移し入れたのである。したがって、三段論法において二つの前提が結論に要約されるように、同じ構造をもつソネットはひとつの綺想、機知に富んだひとつの結末を要請した。ここに、何世紀も諸芸術を支配した左右対称の論理の、あまたある例のひとつを見いだすことができるであろう。議論の強調点は、音楽の最終小節とともに歌われる部分に置かれねばならないのである。

ソネットが、連押韻（リーマ・バチャータ）による二つの詩行で形成された対句（ディスティコ）で終わる傾向も、これと同じ理由による。ただしイタリアでは、三行詩節の韻の配列により末尾を二行連句にすることを認めることはあるものの、この配置はきわめてまれにしか見られない。その理由は単純である。連押韻の対句は偶数音節にもとづいており、ソネットの後半部に同じ偶数音節をくりかえすと、前半は偶数、後半は奇数とする詩全体の均衡を壊すことになる。そのため、ソネットを連押韻で終わらせる原理が優勢になるさいは、二つめの三行詩節の後ろに対句を置いたのである（たとえば、ピエラッチオ・テバルディ、チーノ・ダ・ピストイア）。おそらく一三世紀のピサの詩人たちのもとでこのようなソネットの詩形が発生し、一四世紀のあいだに大変な人気を博した。それがのちに、バーレスク詩の韻律に、そしてソネット本体の最後の詩句と韻を踏んだ七音節の詩行と独立した連押韻の二つの十一音節詩行とを付加したソネット・カウダートの韻律に、変わっていった。

当時のフランスとイギリスでは、このようなソネットの詩形はまったく理解されなかった。フランスにおいて、ソネットはクレマン・マロ（一四九六年頃〜一五四四年）が考えた詩形に結晶化した。すなわち、四行で構成されるスタンツァ——四行連（クワトレイン）——三つで構成され、前半二つのスタンツァと三つめのスタンツァはひとつの対句で分けられる。この対句が末尾に置かれることもあった。イギリスでは、トマス・ワイアット卿により、二つの三行詩のかたちからひとつの四行詩とひとつの対句の組みあわせへと縮小された。この最後の詩形を説明するために、イタリア滞在中にワイアットが、この形式で作成されたベネデット・ヴァルキのソネットについて歌われるのを聞いた、あるいは写本で読んだと推測したり、またはまさにワイアットがイタリアに赴いた一五二七年に出版された、イタリアの初期俗語詩人のソネット五篇を集めた『ジュンティ版古歌集』（*Giuntina di rime antiche*）によって知るにいたったと推定したりする必要はない。☆2 ソネットを連押韻で閉じる流行は、偶数音節と奇数音節の対置という、ソネットの基礎となる音楽的原理を見失った者であれば誰でも勝手に生みだせたはずである。フランス叙情詩とイギリス叙情詩で最終的に採られた詩形には、イタリアのソネットがわずかに認められるか、あるいはあらゆる韻律の類似性が減り、トマス・ワトソン（一五五六年頃〜九二年）の「熱情」（'passions'）のように、それぞれ対句をともなう四つの詩句で構成する変質が見られる。フランス詩人たちが歌った「マロ風ソネット」の、地方的展開である。要するに、ソネットのこのような歴史は、韻律構造にかかわっているのである。これをふまえて、後半部に重心を置く傾向が、詩の内容にいかなる影響を及ぼしたのかを見ることにしよう。

わたしはいま一五世紀末をソネットの「フランボワイヤン」時代と呼んだが、より正確を期すなら、「第二期フランボワイヤン」時代と呼ぶのがおそらく妥当であろう。なぜなら、ソネットが誕生した一三世紀に、トスカーナ詩人のグイットーネ・ダレッツォと彼の流派が、プロヴァンス詩人らの凝りすぎた技巧をすべてソネットに適用したからである。そうした技巧の多くは、ある部分は古代ローマのエロティック詩人――そして古代ギリシアのエピグラム作家たち――の着想と、またある部分は一七世紀の綺想と合致している。グイットーネの流派は、プロヴァンスの吟遊詩人らの「トロバル・クルス」（trobar clus［密閉体、閉塞体と呼ばれる難解な様式］）を手本に、ソネットに許される限界まで技巧を追求した。グイド・グイニツェッリ、グイド・カヴァルカンティ、また誰よりもダンテは、清新体の旗印を掲げてこうした不自然な技巧に反発したのである。この反発の動きは、ペトラルカが『カンツォニエーレ』を書いたときにすでに力を使い果たしていた。むしろ、彼とともに別の方角に風が吹き始めたのである。

ペトラルカはあまりに偉大な詩人であったため、ソネットを単なる綺想の道具にとどめておくことができなかった。とはいえ、彼のソネットの大半は、プロヴァンス詩人たちの技巧をとりいれ、ひとつの着想で完了する傾向を改めて示している。いずれにせよ、ペトラルカは発展の最終段階を体現していた。どの最終段階でもそうであるように、彼には退廃の萌芽が認められる。退廃とはつまり、一五世紀末から一六世紀初頭に爆発的に流行する、後期フランボワイヤン派である。ペトラルカは到達点であって、起源ではない。彼の叙情詩集は、愛の理論と、プロヴァンスと清新体派の詩人たちが創出した宮廷恋愛作法の梗概なのである。心理的な鋭敏さにおいて、彼は時代をはるかに先駆けていたため、彼の模倣者らが同じ方向性でなにかを新たに考案しようとしても困難であった。彼らが技巧を生かせたのは、細部の洗練化、古びたテーマの変奏くらいである。

一六世紀初頭に名声を博したセラフィーノ・アクィラーノのような、このうえなく凡庸な詩人が成功できたのは、ひとえにペトラルカ風の綺想を凝縮したかたちで再提示するその才能のおかげである。彼のソネットはどれもびっくり箱に等しい。彼の詩は実はエピグラムであり、だからこそ短いストランボット——最後の二行が対句になった八行詩節——でとくに人気を得た。セラフィーノの詩集は幾度も版を重ねて数多くの隠喩や直喩を流行させ、それらがあらゆる叙情詩に鏤められるようになった。

ソネット作家のあいだで流行した主要なモティーフ目録の編纂ほど容易な仕事はないであろう。エリザベス朝ソネット叢書のためにそのような目録をつくろうとしたのが、ライル・セシル・ジョンである（Lisle Cecil John, *The Elizabethan Sonnet Sequences: Studies in Conventional Conceits*, New York, Columbia University Press, 1938）。しかしながら、彼はイギリス以外の典拠やレパートリー集を追跡せず、ジャネット・G・スコットの『エリザベス朝ソネット』（Janet G. Scott, *Les sonnets élisabéthains, les sources et l'apport personnel*, Paris, 1929）で十分と考えた。セラフィーノと北イタリアの彼の追随者、テバルデーオは、「柔和の王国（ロワイヨーム・ド・タンドル）」を創出した。天使のような女性というプロヴァンス風の着想とプラトン的愛の理論が背景にあるが、舞台の最前列を占拠するのは古代の人々が歌った小アモル（アモリーノ）たちと彼らの児戯である。なぜアモルは目隠しをされ、裸体で有翼の姿をし、松明、弓と矢をもって描かれるのであろうか。

こうした『ギリシア詩華集』のモティーフこそ、セラフィーノの着想のよりどころのひとつなのである。クピドの形姿と矢は、彼にとって数えきれない機知を生みだす機会となった。綺想のもうひとつの源泉は恋した男の状態であり、心を奪われ、意中の相手の胸に囚われたそのありさまである。熱いと同時に冷たいという彼の驚くべき状態。彼の目から流れでる涙の川。炉のように熱く熱せられた彼の胸から噴きだす、突風のようなため息。ペトラルカが軽妙に使った隠喩はすべて、セラフィーノとテバルデーオにより字義どおりに解釈され、雑駁に扱われた。こうして、宮廷の技巧的な雰囲気のなかで、現実の生の概念は失われたのである。宮廷の温室では咲けた花々も、屋外の空気にさらされたら死ぬであろう。今日セラフィーノの機知は卑しくつまらないものに感じるかもしれないが、その当時にあっては、女性への慇懃（ギャラントリー）さが主たる関心事であった社会の礼儀作法を揶揄する、という特定の機能を果たしていたのである。

このフランボワイヤン派のゆきすぎた過剰は、当然のことながら、反発をひきおこした。ペトラルカ主義の退廃的な形式への反抗を主導したのはベンボであった。ところが彼は、奇抜さを狙うグイットーネ派に対抗した清新体派詩人たちがおこなったような「自然への回帰」を叫ぶのではなく、単純に「ペトラルカへの回帰」を謳った。それはマニエリストと明確に区別された、詩人ペトラルカであった。一五四〇年代にイタリア全体がベンボ主義に宗旨替えしている。詩人たちは綺想を避け、叙情詩は、レオーネ・エブレオやベンボ（『アーゾロの談論』[*Gli Asolani*, 1505]）の対話篇や一六世紀にあふれでた恋愛論に明示された、プラトン主義の諸理論の色を強く帯びることになる。

セラフィーノやテバルデーオの手法で書かれたソネットは、このうえなく平凡だが愉快でおもしろいジャンルであるのに対し、ベンボ派のソネットはたいてい過剰なほど単調でありながら、韻律と話法の熟達さにおいて非の打ちどころがない。彼らの詩の響きは魅力的であるが、ペトラルカ風の詩句、韻、力強い句を反復進行させて頂点へ導く漸層法がふんだんに詰めこまれているがゆえに、詩のテーマや内容を記憶するのは不可能に近い。ベルナルディーノ・ダニエッロの「もし人生が短く暗い一日ならば」、あるいはヴァルキの「内で象られ外に輝く、かの美しき人」のようなソネットは、独創性はなくともペトラルカ作品の抑揚に注意深く耳を傾けた詩人たちが到達した、相対的な卓越さの好例と言えるであろう。

ところが、約二〇年の追放のあと、綺想が再び陣地を奪回した。セラフィーノに代表される第二期フランボワイヤン派は、カリテーオというアラゴン王朝に仕えたカタロニア出身の騎士とともに南イタリアから発生したものであった。今度は、同じく南イタリアにおいて、三度目となる綺想主義の旗が三人のナポリ詩人によって高く掲げられた。アンジェロ・ディ・コスタンツォ（一五〇七年〜九一年）、ベルナルディーノ・ロータ（一五〇九年〜七四年）、ルイジ・タンシッロ（一五一〇年〜六八年）である。彼らは機知の趣好とベンボ主義の完璧な文体を組みあわせ、すぐさま大成功を収めた。この三人の詩人の作品は、まず、ジロラモ・ルシェッリが編纂し一五五八年にヴェネツィアで出版された『著名詩人の詩華集』（*Fiori delle rime de' poeti illustri*）を通して流布した。新たな流行が長続きしたのは、当時から一六世紀末のG・B・マリーノの登場までとくに新しい反発による中断もなく、またマリーノの綺想主義は一世紀にわたり盤石であったことによる。一六世紀の末までに、一篇の詩におけるエピグラム風の鋭さ、つまり綺想が主要な関心事になったため、ソネットの優位性は、一六世紀初頭のストランボットに比肩する危険な好敵手、マドリガーレに脅かされるようになった。

これらは端的に言えば、一六世紀におけるソネットの発展形である。その反響はイタリアの外で大きく、なによりもまずフランスにおいて、ペトラルカの模倣がセラフィーノ派の影響下で始まった。フランス版セラフィーノに相当するのが、リヨン派の詩人モーリス・セーヴ（一五〇〇年頃〜六四年頃）である。彼の詩集『デリー――至高の徳の対象』（*Délie, ou objet de plus haute vertu*, 1544）における十行詩（ディザン）のあれこれは、フランス詩における、セラフィーノのストランボット流行に比肩するエピグラムの流行を代表した。もっとも、セーヴにはセラフィーノの粗削りさはまったく見られないものの。ピエール・ド・ロンサール（一五二四年〜八五年）とジョアシャン・デュ・ベレー（一五二二年頃〜六〇年）とともに、ベンボの影響がフランスに広がった。フィリップ・デポルト（一五四六年〜一六〇六年）は、しばしば一字一句を翻訳しながら、テバルデーオやほかの「一五世紀の綺想主義者たち」を模倣した。

当時のイギリスのペトラルカ主義の特異性は、かつてセラフィーノの影響のもとワイアットとサリー伯により紹介されたソネットが、一六世紀末になって、わたしが第三期フランボワイヤン派と呼んだ趣好を顕著に示すフランス詩人の影響を、なによりも強く受けた詩人らにより再興された点にある。ベンボ主義者の対抗的な動きの影響は、イギリスでは間接的で弱かったため、イギリスのソネット詩人たちは第一義的にフランボワイヤン派の模倣者であった。

イギリスのソネット詩の最初の成果は、フランスにおけるセラフィーノの後継者であるモーリス・セーヴの主著とほぼ同時代に世にでた。ワイアットとサリー伯のソネット集が世にでたのは一五三〇年代、セーヴの『デリー』が出版されたのは一五四四年である。この時点まで、イギリス詩人たちはイタリアの原典を手にしておらず、フランスの詩人に依拠していた。ところが、エリザベス朝ソネットの生みの親であるトマス・ワトソン（一五五五年～九二年）とフィリップ・シドニー（一五五四年～八六年）は一五八〇年代に作詩している。そのときまでにフランスのプレイヤード派作品の大半は完成されており、ロンサール、デュ・ベレー、デポルトの名はイタリアのソネット詩人の名に劣らず知られていた。トマス・ワトソンはイタリアとフランスの両方の模範に従ったにもかかわらず、彼の『ヘカトンパシア、あるいは愛の情熱的な世紀』（*Hekatompathia, or Passionate Century of Love*, 1582）は、確実にロンサールの地方的追随者の作品なのである。

シドニーの『アストロフェルとステラ』（*Astrophel and Stella*, 1582）は、イギリスがヨーロッパ大陸の流行を遅れて追随した興味深い一例を示している。一面においてシドニーは、デュ・ベレーに「ペトラルカ主義に抗して」（'Contre les Pétrarquistes'［『田園遊楽集』一五五八年所収］）の霊感を与えた反ペトラルカ主義の流行を反復している。ただし、デュ・ベレーの頌歌が公刊された一五五三年には、セラフィーノの奇想天外さを批判したベンボの対抗的な動きがフランスに届いていた。シドニーが詩作した一五八〇年代には、そうした反抗的な動きの時代は終わっており、デュ・ベレーとロンサールがイタリア発の、再び綺想に満ちた流行をとりいれていた。したがって、シドニーがどれほど自分の心の声のみに耳を傾け、ペトラルカ風の群衆を軽蔑すると告白していても、事実として彼は、もっとも技巧的なペトラルカ主義者たちの奇想天外な様式で詩を詠んだのである。彼が示す対照は、夜会服とスポーツウェアを半分ずつ着た人に負けず劣らず調和を欠いている。まず、『アストロフェルとステラ』における、シドニーの反ペトラルカ主義の叫びを聞いてみよう。

第一五番

おのが韻文に辞書的方法を持ち込み、
　詩行の流れをぎくしゃくと耳ざわりにする君よ。
また、絶えて久しい哀れなペトラルカの嘆きの歌を、
こと新しく溜め息をつき、受け売りの詩才で歌う君よ。
君たちは道を誤っている！　遠くの方より援助を仰ぐのは、
　自らの生得の才の欠如を暴露するようなもの。
そして盗品はいずれは明るみに出てしまうことも確かなこと。〔大塚定徳他訳、以下同〕

第二八番

日頃より、寓意の巧みな論法を用いて推論をおこない、
　他人の子をいつしか別の子と取り換えるのに馴れた君よ、
…………
そして知ってほしい、僕はただ、何の下心もなく素直に、
　わが胸の中に燃ゆる炎を吐き出しているだけ、ということを。

　愛だけが、この術を僕に教えてくれたのだ。

第七四番
僕はアガニッペの泉の水など一度も飲んだことはなく、
またテムペーの渓谷の樹陰に座ったこともない。
…………
哀れな俗人である僕は、聖なる儀式にはふさわしくない。
…………
僕は他人の知恵を失敬するようなスリではない。

第一番
私は真黒な悲しみの顔を化粧するのに適した言葉を求め、
彼女の知性を楽しませようと、立派な詩想をいろいろ調べた。
他人の書物をひもとくこともしばしば、そこから新鮮な慈雨が流れ出し、
恋の炎に枯渇した私の頭脳をうるおしてくれはしないかと思ったのだ。
だが、言葉は、創意の支えを欠いているので、びっこをひいて現れ、
…………
「愚か者よ」と私の詩神が言った。「そなたの心の中を見て、書け」。

シドニーはこれらの詩で、技巧の伝統に対するあらゆる反逆者の叫びをくりかえしているようである。彼の宣言は

実に、ダンテの有名な一節に表われた新様式の響きを思わせる。

私こそは、愛が私に息吹を吹き込んだ
その時に記し、そして愛が私の中で口授する
そのままを言葉に置き換えていくその一人だ。〔『神曲 煉獄篇』二四歌、原基晶訳〕

しかしシドニーは、再三言っているように、誰にもなにも負っていないと断言しながら、実質的にデュ・ベレーの「ペトラルカ主義に抗して」を源泉としている。この頌歌でデュ・ベレーは言っている。

私はペトラルカ風にかえる技巧を魂から消し去った、
私は率直に愛を語りたい、
君へのへつらいも、わが身の粉飾もせずに。
悲嘆に呻いてばかりいる者には、
真の愛情のかけらも語れまい。

最後の二行は、シドニーのソネット第五四番とよく似ている。

私は誰彼なしに愛をささやくわけでもないし、
…………
一言話しては呻き声の終止符をつけるわけでもない。

…………
「あの人が恋ですって。誓って言うけど、
彼が恋をするはずがないわ」。……
おしゃべりの鵲（かささぎ）ではなく、黙せる白鳥こそ、真の恋人となり、
震えながら愛を告白する人こそ、本当に恋をしている。

また、シドニーがソネット第二八番で述べる、

僕が詩の主題を選ぶのは、修辞法を用いてみるためでも、
またひそかに哲理をもちこむためでもない。
僕の手並みを詮索してそんな第五元素（クィンテッセンス）をもとめることはやめたまえ。

は、すぐにデュ・ベレーの一節に由来するとわかる。

大地を呪う何者かが
第三天についての秘密を教えている、
また愛に身を浸しては、
　そこから精髄（キャンテッセンス）をとりだす。

デュ・ベレーはさらに続けて言う。

われらが良き祖先たちは、この技芸に骨身を砕いても、
詩を語るためにペトラルカを学んでいない。
それでも彼らは貴婦人たちを飾らぬ言葉で楽しませた、
　虚飾もお世辞も使わずに。

まさにこれは、先ほど引いたシドニーのソネット第一番にこだましている。「私は……適した言葉を求め……彼女の知性を楽しませようと……」。

率直さや混じり気のない霊感を求めるといくら誓約しようとも、シドニーが、ヨーロッパのフランボワイヤン派のソネット作家らが使い古した隠喩を大量に反復していることを確認できる。彼もペトラルカと同じく、愛する女性をアラバスターの壁と黄金の屋根をもつ屋敷になぞらえた。彼も恋人の眠るベッドを叱責し、「眠り」に懇願し、彼女の子犬に嫉妬しており、それはどのソネット詩人が歌っても遜色ないものである。彼も勝ち誇るステラに赦しを請う。「気高い征服者は、全滅させることは避けるもの」〔第四〇番〕なのだから、あるいは、「速やかに殺してくれることこそ、言わば親切というもの」〔第四八番〕なのだから、彼をすぐに殺すよう彼女に勧めている（「速やかな殺害は慈悲の一手段」はペトラルカ風の表現で、模倣者たちに数え切れないほど反復された）。彼も愛する女性に、自分を愛さないかわりに美徳を愛するよう哀願する。「いとしい人よ、私を愛さないでほしい、もっと私を愛してくれるために」〔第六二番〕。最後に引いた例では、次のような、グイットーネ・ダレッツォが好んで詠った種類の言葉遊びが使われている。

　愛するために、私を死ぬほど憎んでおくれ、
敵意を鎮めるために、あなたは私を愛してくれるであろう。

シドニーも、彼の愛する女性が二度「嫌」と言ったという理由で勝利を歌いあげる。文法の規則にしたがえば、二重否定は肯定を意味するからである。彼はクピドに関する古色蒼然とした機知をも軽蔑しない。たとえば、恋人の心の炎で翼を燃やされてしまうクピドや、弓のかわりに恋人の眉を渡されるクピドという機知である。あるいはもっとも有名なものでは、恋人の両眼から矢をとりだして射ようとするクピドという機知もある。最終的に、ソネット第二九番に見られるセラフィーノの詩にもっとも近いものはなんであろうか。そこではステラが、弱小な国の領主として、首都の自由を保持するため自分の外面的な特徴——唇、眼など——をすべてアモル——近隣の強大な王——にひきわたすようにイメージされている。ソネット第一〇〇番以上に退廃的なものがあろうか。

おお、涙よ、いや涙ではない、美の天空より降る雨、
そして、あの百合、あの薔薇を育むものよ。
…………
おお、あの胸からのぼってくる、蜜を含んだ溜め息よ、
その喘ぎは、こぼれることのないクリームをあふれさせ、
…………
おお、嘆きよ、これほど甘美な文句で砂糖漬けされていれば、
雄弁そのものも、そなたが受ける称賛を羨む。

かつてリチャード・クラショーが述べたように、これはまさしく「甘美な文体が降り注ぐシドニー風の雨」ではなかろうか。クラショーはこれと第一〇二番のソネットを偏愛したにちがいない。シェイクスピアはこの種の文体をロ

ミオに語らせることにより、情熱に満ちた南欧の恋する男の肖像を描こうとした。ロミオをめぐる綺想のどれをとっても、フランボワイヤン派のペトラルカ的ソネット詩人から類似や類比をひきだすことができるであろう。また、シェイクスピアが故意に、叙情詩集（カンツォニエーレ）の処方箋に則って恋する男を造形したことは、マキューシオがロミオをからかい半分に描写するくだりにほのめかされているように思える。「さあ、奴はペトラルカばりの恋歌を歌いだすぜ。ペトラルカの恋人ラウラなんて目じゃねえな」[☆3]［河合祥一郎訳］。

以上述べたことを踏まえるならば、シドニーは独創性のない卑屈な模倣者ではない。彼のソネットは、ヨーロッパのフランボワイヤン様式の影響下で書かれたことはまちがいないものの、「イギリスのペトラルカ」と形容するに値するのである。シドニーの心理的繊細さは誰かの詩句の使い回しでは生まれない。彼が描く感情の率直な抑揚は、トマス・ワトソンのとるにたらぬ「情熱」のはるか上空に高められている。『ヘカトンパシア』の衒学的な作者に捧げられた次の讃辞［ジョージ・ブック卿による十四行詩］は、シドニーに捧げたほうがより的確であったのかもしれない。

ペトラルカの生誕日を支配した星辰たちは、
今また君の誕生を定める。

感情表現の種類について言えば、シドニーはペトラルカよりもはるかにロンサールに近い。マイケル・ドレイトン（一五六三年〜一六三一年）も、シドニーと同じく、他人の才能になにひとつ依拠していないとくりかえし公言し、また「愛の治療法」（『イデアに捧げる愛の詩集』［*Idea. In Sixtie Three Sonnets*, 1619］、ソネット一五）では、ペトラルカ風の常套句を皮肉っているにもかかわらず、同じヨーロッパの、とくにフランスのソネット詩人を模倣し、彼らの常套句を反復している。ドレイトンやヘンリー・コンスタブル（一五六二年〜一六一三年）のような詩人の主たる功績は、彼らがシェイクスピアを準備したことにある。彼らがある時期はじめて外国のモデルをことごとく独占したからこそ、彼らを通じて、シェイクスピアは他国のソネット詩人と同じものを受容できたのである。

エドマンド・スペンサー（一五五二年頃～九九年）の位置づけは、直接的な模倣者の位置とさほど変わらない。彼の世界は、フランボワイヤン派のペトラルカ主義的規範でできた、あの見慣れた世界である。「アモレッティ」（'Amoretti'）の冒頭からそうである。

幸せなページよ、私を生かすも殺すも意のままの
　あの白百合の手がそなたらに触れ、……〔ソネット一番、和田勇一・吉田正憲他訳、以下同〕

スペンサーが奏でる音楽の最初の数節は、すぐに非常に有名な音であるとわかる。それはテバルデーオの音色である。

幸運のカードを手に集め、
私の沈んだ心の根を握る。……〔『愛の作品集』（*L'opere d'Amore*, 1544）、ソネット第二二番〕

スペンサーはテバルデーオから、鏡に示唆されたある綺想を借りている。なぜ彼の恋人は鏡を手放さず、彼女の理想的な姿を映しだす詩人の心を見ようとしないのであろうか。彼はテバルデーオを典拠に、悦楽の刑罰としての愛をめぐるソネットを書き、テバルデーオの仲間であるセラフィーノから、火と氷の対立をめぐる言葉遊びを学んだ。セラフィーノ派によく見られるほかの常套句は、スペンサーによってより熱心に借用された。そのうちもっとも流行した一例を挙げておこう。水滴が石を穿ち、砥石が最も硬い鋼を削ろうとも、詩人の涙は愛する女性の頑な心を溶かすことはできない。これらはベンボやタッソの詩に由来するものであり、そこでの霊感は純粋な綺想主義より高められたとはいえ、スペンサーが偏愛したのはユーフュイズム的特質を具えたいくつかのテーマを模倣することであっ

た。

麗しい、私の愛しい人が麗しい金髪を
　そよ風になびかせるのを、あなたが目にするとき。
　麗しい、その赤らむ頬に薔薇が現われ、
…………
けれど、一番麗しいのは、あの人が
真珠とルビーで豊かに飾られた門を押し開き、……［「アモレッティ」ソネット八一番］

これは、別のソネットに登場する、恋する男の心と餌をさしだす手に乗る小鳥という別の直喩と同じく、タッソに由来する。[☆4]また、ベンボの次のソネット、

美しき女戦士よ、なぜそなたはいつも
武具に身を固めて私に会うのか。［『詩集』（*Rime di Pietro Bembo*, Venezia, 1530）］

に触発されて、「美しい戦士よ、私はいつあなたと講和が結べるのか」［「アモレッティ」ソネット五七番］、「教えてくれ、この辛い悩みはいつ終わるのか」［同ソネット三六番、同訳］と歌った。

詩人で雄弁家のゲイブリエル・ハーヴェイ（一五五〇年頃～一六三〇年）は、ペトラルカ風の流行に追随したと非難されたスペンサーを擁護して、「ペトラルカの着想は純愛そのものである」［Gabriel Harvey, *Pierces Supererogation*, London, 1593］と論じた。そのとおりである。しかし、スペンサーの「アモレッティ」に登場するペトラルカは、フランボワ

イヤン派の歪んだ鏡に映ったペトラルカなのである。ペトラルカでもセラフィーノでもない。ペトラルカから直接模倣した唯一の例は、愛する女性の目を歌ったソネット（七、八、九番）のみと考えられ、そこにはペトラルカがラウラの瞳について歌った有名な「カンツォーネ三姉妹」［七一、七二、七三］の多くの表現が、くりかえし使われている。ペトラルカとスペンサーのきわめて大きな差異を理解するには、多様な詩句を比較すれば十分である。両者のうち、ペトラルカのほうがはるかに現代的な詩人である。スペンサーが同じ比喩的表現を使うことができたとしても、彼にはペトラルカの心理的な繊細さはない。スペンサーはあちらこちらの比喩的表現と全体の輪郭は借用するが、ペトラルカの思考の洗練されたリズムをつかんではいない。

ペトラルカとそのイギリスの模倣者たちとを比べたとき、ライル・セシル・ジョンがエリザベス朝ソネット集の研究書で挙げている表面的な差異よりも、つまり詩集の長さと目的のちがいよりも、わたしが前段で述べた差異の方がはるかに重大である。激しさと真剣さの点で『カンツォニエーレ』に似たものを探すには、シェイクスピアに向かわなければならない。シェイクスピアのソネットの特異さは、二本ないし三本の筋が最初から最後までくりかえされる点にあり、たとえ糸口を見失っても、ある程度まで筋についていくことができる。彼以外のエリザベス朝ソネット集を読んでも、こうした着想の一貫性に類するものはまったく見当たらない。にもかかわらず、シェイクスピアを複数の作家とみなす「分解者たち」［E. K. Chambers, "The disintegrators of Shakespeare", 1924］が、必ずしもおもしろいというわけではない文体練習をするために都合のよい運動場に選んだのも、シェイクスピアのソネットである。

分解者たちは共同執筆という空想的な説を唱えているが、彼らはシェイクスピアのソネットのいくつかの重要な特徴を忘れているようである。なによりもまず、最新の研究のおかげでテーマの源泉を『ギリシア詞華集』まで遡ることのできる最後の二篇を除けば、彼のソネットのうち、ヨーロッパ大陸のなんらかの典拠から直接派生したものはひとつもない。これはエリザベス朝文学において唯一の例である。第二に、個々の表現について類似性を指摘できるもののうち、真に重要なのはシドニー、コンスタブル、ドレイトンというイギリス人作家のソネットとの類似である。

これは、真作と認められた作品からシェイクスピアの教養や知識について判明していることと合致する。大陸的なテーマは、常にイギリス人の仲介者により濾過されて彼のもとに届いている。因習的なモティーフの占める割合は、シェイクスピアのソネットでは相対的に低い。

詩により保証された不死のテーマ、詩人の夢に現われる恋人のテーマ、不在のテーマ、目と心の矛盾、悩み（プロヴァンス語の'enueg'）の種になる事柄の列挙、恋人が触れたものに嫉妬するモティーフ、これらを集めれば常套句の長大な一覧表になり、それらの類例は多く見つかるが、それでも、直接的な典拠と言えるものはひとつもない。したがって、シェイクスピアの、

私のやりかたは、ああいう詩人のとはちがう。
あれは厚化粧の美人に感動して詩を書き、
天空全体を文章のあやにつかい、
おのが恋人を語るのにありとある美を引きあいにだし、
太陽と月、大地や海洋からとれるみごとな宝石、
…………
はでな比喩をくみたて、むすびつけてみせる。〔『ソネット集』一六〇九年、ソネット二一、高松雄一訳〕

という言葉は、詩人たちがこれまでおこなってきた、ペトラルカ的伝統にそぐわないあらゆる発言のなかで、唯一真正のものであると断言してよいであろう。

シェイクスピアは戯曲作品のなかで、数えきれないほど、女性美の慣習的な描写をからかっている。たとえば、『十二夜』では、シザーリオ［男装したヴァイオラ］に「美の類例」（paragone de bellezza）の似姿を後世に残さないのは残酷だ

と言われ、オリヴィアは自分の個性を逐一遺書に残すと約束する。「一つ、まあまあ赤い唇二枚。一つ、碧い目二個、蓋つき。一つ、首一個、あご一個という具合に」（第一幕五場二六六〜六八行〔河合祥一郎訳〕）。また、『ソネット集』の「黒い女（ダーク・レイディ）」は、たとえば有名なソネット一三〇に見られるように、故意に反ペトラルカ主義の特徴をもって描かれている。

私の女の眼は太陽などとは比べものにもならぬ。
あれの唇の赤らみより、珊瑚のほうがはるかに赤い。
唇が白ければ、あれの乳房はさしずめ薄墨いろか。
髪が針金なら、あれの頭には黒い針金が生えているわけだ。
赤や、白や、色混ざりの薔薇を見たことはある。だが、
あれの頬にそんな薔薇が咲くのはいっこうに見かけない。
香水のなかにだって、あれの吐く息よりは
もっとかぐわしい香りをはなつのがある。
あれが喋る声を聞くのは好きだが、音楽のほうに
ずっと妙なる響きがあるのは私もよく承知している。
たしかに、私は女神が歩むのを見たことはない、
私の女が歩く時は大地を踏みしめて歩くのだから。
　だが神かけて言おう、わが恋人は、勝手な比較を繰って
　でっちあげたどの女に比べても、見事ひけはとらぬ。〔高松雄一訳〕

この点について、ライル・セシル・ジョンは書いている。「ダーク・レイディは、エリザベス朝ソネットに居並ぶ美のなかの、実に奇妙な一面を表わしている。いずれにせよ彼女には、少なくともひとつのカンツォニエーレを、同時代の大半の詩人が使っていた空虚な言い回しから解放したという功績がある」。

シェイクスピアの同時代人で、彼と同等に、また彼以上にペトラルカの伝統からの独立を示す詩人がもう一人だけいる。すなわち、ジョン・ダン（一五七二年～一六三一年）である。シドニーやシェイクスピアといった詩人たちまで、「愛の夢」という使い古されたモティーフに敬意を払ったことを考えるならば、ダンの「夢」（'Dream'）がどれほど革新を示していたかが理解されるであろう。[☆5] しかしながら、時間的にかなりの隔たりのある現在からダンの詩を検証すると、ある意味でイギリスにおける反ペトラルカ的反動の代表者であったこの詩人でさえも、イギリス文化の中世的背景ゆえにひとりのペトラルカ主義者であったとみなさざるをえない。

ダンは同時代の詩に逆らったにもかかわらず、限定的にせよペトラルカ主義者にとどまったとするならば、それは個人的にどれほど強く反対しようとも、特定の歴史的風土への帰属は避けようがないという事実によっている。たとえば、ダンの特異さのうち演劇的な弁証法の手法に勝るものはない。それでも、「恋人無尽蔵」（'Lovers Infinitenesse'）において、着想を繊細かつ情熱的に操るとき、

すべての愛を、まだ貰えないのなら、
恋人よ、私にはそれは得られない。
…………
そのとき、あなたがすべてをくれても、
それはその時点での、あなたのすべて。［湯浅信之訳］

少しまえに引用したグイットーネの詩句、シドニーの「いとしい人よ、私を愛さないでほしい、もっと私を愛してくれるために」、ドレイトンの「きみがひとりでいるときも、きみはひとりではない」〔『イデアに捧げる愛の詩集』、ソネット一一、岩崎宗治訳〕を想い起こさないであろうか。形而上学的な精妙さ、つまりダンの「恍惚」（'The Extasie'）の特徴である精妙さに関して、ペトラルカが「ラウラの生前に」読んだ六三番目のソネット以上に優れた例を見いだすのはむずかしいであろう。[☆6] とりわけソネット六三の最初の四行詩節（クアルティーナ）には、「恍惚」の構成要素が見いだされる。両眼から心に忍びこむ愛する対象の姿（「わが目をとらえる画像は、すべてわれらが伝播させたもの」）が、そしてとくに、恋人たちの石像のような不動さが見いだされる。そしてなによりも、そこには着想の推論的発展が、また恋人たちが惹きおこす奇跡のパラドキシカルな綺想が見いだされる。

ソネット集の流行が終わったときに、イギリスにおけるペトラルカの人気は衰えた。アイルランドの詩人ウィリアム・ドラモンド・オブ・ホーソーンデン（一五八五年～一六四九年）による翻訳と模倣作品が一六一八年と一六二七年に出版されたが、過ぎ去った流行の趣好を心ならずも示している。同じことは、タッソの翻訳者エドワード・フェアファクスの息子ウィリアムの指導を受けた、トマス・スタンリー卿（一六二五年～七八年）を中心とする、遅れてやってきた「イタリア模倣」の詩人グループにもあてはまる。外国旅行に赴いたスタンリーは、イタリア、フランス、スペインの流行作家たちについて知識を深めることができた。そのため、清教徒革命におけるイングランド内戦の末期に、ロンドンのミドル・テンプル法曹院に入り、文学研究に専念したさい、彼は二流詩人らが集う小サロンの中心となり、彼らに自らの趣味と好みを伝えた。ペトラルカは彼らが翻訳した多くの詩人のひとりにすぎない。彼らが翻訳に力を入れたのはマリーノ、そしてイタリア内外の彼の追随者の作品であった。

ミルトンははじめに、ギリシア詩人とラテン詩人に、とりわけオウィディウスに親しんだ。ところがそののち、父親に勧められてフランス語とイタリア語を習得し、ダンテとペトラルカに最適な霊感源を見いだした。ミルトンの知識の新たな方向性がもたらした影響は、「ナイチンゲールに捧ぐソネット」（'Sonnet to a Nightingale'）に表われ、初期の英語とイタリア語のソネットにはより直接的に表われた。これら初期のソネットの制作年代は、ほぼ確実に一六三〇年に位置づけられる。ジョン・スマートの研究によると、一六二九年にミルトンはジョヴァンニ・デッラ・カーザの一五六五年版のソネット集を入手している［John Semple Smart, *The sonnets of Milton with introduction & notes*, Glasgow, Maclehose, Jackson and co., 1921］。まさにデッラ・カーザのソネットの詩形にもとづいて、ミルトンは自分の詩を形成し、それがイギリスのソネットの歴史における転換点となった。

すでに述べたように、エリザベス朝詩人たちが採用したソネットの詩形は、イタリアで共有されたモデルとは異なり、とくに末尾の二行連句の使い方が大きく異なっていた。ソネットがイギリスでほぼ完全に放棄された時代を経て、ミルトンがそれを発掘して再び世にだしたとき、彼はもはやエリザベス朝詩人のあとを追うのではなく、イタリア詩という原典に直接向かい、韻律の形式を通して未来のイギリス詩人たちにひとつの模範を与えたのである。

ミルトンが採用したソネットの詩形は、全体的にイタリア式であるばかりか、ジョヴァンニ・デッラ・カーザの詩形に合致していた。デッラ・カーザは、ソネットを全体としてあつかう方法をはじめて導入した詩人であり、韻律の分割により示される中間の休止をとりさり、四行詩句と三行詩句をより緊密に結びつけた。一方、通常のペトラルカ的な詩形では、意味内容から要請される休止は、ほぼ完全に規則的に句末に置かれる。デッラ・カーザは、要するに、フランスのロマン主義詩人たちが「アンジャンブマン」［詩句の次の詩行への文意のまたがり、句またがり／行またがり］と呼ぶことになるものを実行したのである。デッラ・カーザ型のソネットは、明らかに、ミルトンがオリヴァー・クロムウェル、ヘンリー・ヴェイン、エドワード・ローレンスに捧げたソネットのモデルであり、ピエモンテのヴァルド派虐殺について、彼の失明について、妻の死について歌ったソネットのモデルである。

ミルトンのイタリア語のソネットは、友人のチャールズ・ディオダーティに宛てて書かれ、おそらくロンドンのディオダーティ家のサロンで出会ったと思われるイタリア人女性、エミリアへの讃歌を歌っている。それらはベンボ派のペトラルカ風常套句を彼が知悉していたことを示しているが、ときおり、詩句のぎこちない転倒、あるいは形容詞の奇抜な使い方のゆえに、外国人の作品であることがあばかれてしまう。とはいえ、ミルトンのイタリア語詩詩のいくつかはきわめてレベルが高く、近代イタリアの詩人ジョズエ・カルドゥッチは、ダンテあるいはペトラルカと並べても場違いに思わないであろうと言ったほどである。

スマートとフェデリコ・オリヴェーロが実証したように、ペトラルカの韻律はミルトンのイタリア語の詩のそここに響いている。たとえば、「おまえが優雅に話し、あるいは朗らかに歌う時」〔イタリア語ソネット二〕は、「かのひとの……語り笑いするさまの甘美」を想起させ、「だが新たなイデアのもとで／流浪の美は」〔イタリア語ソネット四〕も、ペトラルカの有名な同じソネットの歌いだしを想い起こさせる。「天空のいずこにて、いかなるイデアのもとで／『自然』は　かの優美な面ざしの／手本を求めたまいしや」〔ソネット一五九、池田廉訳、以下同〕。ミルトンが最後に書いたイタリア語ソネットの「わが身から逃げるのを迷うくらいなら」も、ペトラルカを想起させる借用である。「でも逃れはすまい、この孤独とこの安らぎを／ましてわが身と熱い思いからは　逃れはすまい」〔ソネット二三四〕。今では忘れ去られた二流ソネット詩人らと同じ言葉遣いも、くりかえし使われている。たとえば、イタリア語ソネット一の最初の詩行にある「優美なる女よ、その美しき名は称える」は、ガンドルフォ・ポッリーノのある詩行、「光のような愛しき人、その美しき名は称える」を下敷きにしている〔Ludovico Dolce, *Rime di diversi et eccellenti autori ...*, Venezia, Gabriel Giolito de' Ferrari et fratelli, 1556, p.227〕。

英語のソネットを見ると、ミルトンはピエモンテのヴァルド派虐殺を歌ったソネットの末尾に、ペトラルカのあるソネットを借用した。彼は同じソネットを、散文による「イングランド宗教改革論」〔一六四一年〕でも引用していた。

悲しみの湧き出る泉　怒りの棲む宿
誤謬の学び舎　異端の殿堂、
昔はローマ　いまや偽りと悪のバビロニア、

そのさまに　ひとは涙し嘆息する。〔『カンツォニエーレ』ソネット一三八〕

イギリス文学におけるイタリアの伝統が衰退するとともに、ペトラルカはイギリス詩人たちに、少なくとも第一線の詩人たちに霊感を与えることを止めた。ジョセフ・ウォートンは『ポープの才能と著作について』（*Essay on the Genius and Writings of Pope*, 1756）において、「形而上学的な」ペトラルカにほとんど好感を抱かないことを明言し、彼との比較として「メタスタジオははるかに優れた叙情詩人である」と述べた。彼の批評は、趣好の変化を示す興味深い史料を提供してくれる。

> ペトラルカのスタンザは……冗長で退屈な単調さ、同じカデンツァの何度もの反復ゆえに耳に不快である。なお真実を述べるなら、彼の言葉遣いの清らかさを除けば、ペトラルカはほとんど価値がないと思われる。彼の感情表現は、愛を歌うときでさえ、形而上学的で人を魅了するにはほど遠く、主題にあまり多様性がないばかりか、主題のあつかい方も空想力を欠いている。

それでも、トマス・グレイ（一七一六年～一七七一年）は、ダンテの引用で幕を開ける『哀歌』（*Elegia*）にて、最後にペトラルカを引用してその人気のささやかな復活を告げた。スザンナ・ドブソン（一七四二年頃～九五年）の『ペトラルカの生涯』（*Life of Petrarch*, 1775）は、ド・サド神父が書いた『フランチェスコ・ペトラルカの生涯の回想』（Abbé J. F. P. A. de Sade, *Mémoires pour la vie de François Pétrarque*, 1764）の要約にすぎないのではあるが、かつて一六一五年頃にウィリアム・ドラモンド・オブ・ホーソーンデンが、「この主題においてもっとも優れた、またもっとも洗練された詩人とすべての詩人が満場一致で認める」と公言していたこの恋愛詩人に、一五〇〇年もの忘却を経て、再びイギリス人の関心を呼び戻した。

一八世紀を通して、ペトラルカの名は、恋愛沙汰における男らしくない態度、無視されてもかたくなに恋愛対象に執着する男の態度の同義語と化していた。新たなロマン主義的感性が広がり、ゲーテの『若きウェルテルの悩み』で最高の表現に達するとともに、イギリス人たちにとって愛に涙し、死にそうなくらい苦痛を味わうことがもう一度可能になった。ドブソン夫人の『ペトラルカの生涯』は、詩人ペトラルカをプレ‐ロマン主義的感性の英雄に変え、ド・サド神父に倣って、ラウラの実在を証明することにより、捏造された「形而上学的」情熱という非難から解放したのである。まさにこの時期（一七七〇年前後）に、ジョン・ラングホーン、ウィリアム・ジョーンズ卿、『ペトラルカのイタリア語から訳された頌歌』（*Odes translated from the Italian of Petrarch*, 1777）の匿名の著者、ジョン・ノット（*Petrarch Translated*, 1808）、トマス・ル・メスリエ、アレグザンダー・フレイザー・タイトラー、初代チャールモント伯ジェームズ・コールフィールド、ダクレ夫人、そのほかにより、ペトラルカは再び英語に翻訳された。

一八世紀の最後の四半世紀に、ペトラルカ人気が急速に高まると、イタリア語ソネットは、苦悩、落胆、絶望など、要するに当時流行したメランコリー気質の表現にとって理想的な詩形として注目された。この時期に続出したソネット詩人のうち、才能が際立っているのはシャーロット・スミス夫人とウィリアム・ライル・ボウルズのみである。ボウルズの『大陸旅行中のピクチャレスクな場所でおもに書かれた、一四篇のソネット集』（*Fourteen Sonnets, Written Chiefly on Picturesque Spots during a Tour*, 1789）では、彼がペトラルカと同じく「物想いにうち沈み　ひとり荒野の中を歩む」［『カンツォニエーレ』ソネット三五］。

けだるく悲しく、そしてゆっくりと、来る日も来る日も
　僕は旅を続け、それでも物思いにふけりながら目を上げると……
小川、谷間、丘が次々に現れ、そこから僕はこっそりと遠ざかる。

スミス夫人の『哀歌風ソネット』(*Elegiac Sonnets*, 1784)に収められた次のソネットには、ペトラルカの明白なこだまと、キーツ(「ナイチンゲールに寄す」の第五詩節)の弱々しい先触れを聴きとることができる。

森と、はるか遠くの谷間はまたも
　一面の柔らかな緑で着飾り、
そこでは若葉が大きく広がり、かろうじて隠すのは
　初めての葉陰の下に作りかけの巣
あれはフィンチか森雲雀の巣。色淡き桜草も
　おびただしいプリムラ・アウリクラも、のべつまくなしに咲き乱れ、
その甘き香りを溜め息のようなそよ風にのせていく。
ああ、歓喜の季節よ。見つけられたらどんなによいであろう、
　責め苛まれたこの胸の痛みをつかのま鎮めてくれるものを、
「悲しみ」の矢で長く疼くこの傷を癒やし、
　人生ではじめて抱いた妄想を連れ戻してくれるものを、
それはたしかに君のもとにある。君の美しい姿、
調和ある君の声、君のかぐわしき佇まい、
それらには「絶望を除くどんな悲しみも癒やす力がある」。

これら二流の詩人たちにとって、ペトラルカは恋に悩むメランコリックな青年の理想像であった。ギボンの目に、彼は特別に愛国者的な詩人に映った。ペトラルカの書簡、演説、古代共和政の自由への愛は、ギボンの意見によれば、

ローマ人たちの心を動かし、彼のためにカンピドリオの丘での戴冠式を復活させた真の理由であった。しかしながらこのペトラルカの一面は、時流に乗ったイギリス人たちの内面において常に二義的なものにとどまった。ウーゴ・フォスコロの『ペトラルカについて』（*Essay on Petrarch*）は、もともと一八二一年に、ロンドンで英語版が非売品として世にでたものである（そして一八二三年に再版され流通した）。同書の補遺にはダクレ夫人の英語訳が収録され、行動と不屈の意志の詩人たるダンテと、繊細な苦悩を主たる特徴とする詩人ペトラルカとが対比された。

すでに述べたように、シェリーにとってのペトラルカは、ダンテ風の『人生の勝利』（*Triumph of Life*）に題名を与えたにすぎない。たとえ、ライル・セシル・ジョンが『エリザベス朝ソネット集』の序論で、「ペトラルカ叢書なるものは総じて、今日、ペトラルカ自身とともに死んで棺に入れられたジャンルとして退けられることが多い」と書いたとしても、またエズラ・パウンドが『文学精神の源泉』（*How to read*, 1931）で、ペトラルカをくたびれた模倣者の地位に貶めようとも、イタリア系アメリカ人のアンナ・マリア・アルミによる『カンツォニエーレ』の英語完訳（一九四六年）が出版されて大成功を収めたのは、そして、ダンテの名声よりはるかに劣るとはいえ、ラウラの詩人の名声がアングロサクソン国家ではいまなお存続していることを証明したのは、まさにアメリカであった。☆7

（一九六二年［新保淳乃訳］）

イギリスにおけるアリオスト

エリザベス朝のソネット作者たちの文芸における、ペトラルカの運命の歴史は、それがフランスの叙情詩において起こっていたことと正確に照合している。実際、フランスは多くの場合において、仲介者としての役割を演じたのであり、少なからぬ場合において、フランスの媒介によって、イタリアの詩的規範はイギリスに伝達された。ダンテにとっては、同様な照合は存在せず、彼のイギリスにおける評判はフランスとは異なる方向をたどった。また、アリオストにおいてもこのような照合は存在しなかった。

フランスにおいてアリオストの詩が広く評価され摸倣され始めたのは一五五〇年頃で、それは叙情詩人のあいだでのことであった。すなわち、ジョアシャン・デュ・ベレーの『オリーヴ』（*Olive*, 1549）、ピエール・ロンサールの『オード集』（*Odes*, 1550）と『恋愛詩集』（*Amours*, 1552）、ジャン゠アントワーヌ・ド・バイフの『メリーヌに捧げる恋愛詩集』（*Les Amours de Méline*）と『フランシーヌに捧げる恋愛詩集』（*Les Amours de Francine*）はすべて、散発的な詩節においてではあるが、アリオストの『狂えるオルランド』（*Orlando Furioso*）に多くを負っている。しかし、アリオストのこの叙事詩はその全体として、誰に対しても先例となるような影響は与えなかった。

フランスの著作家たちはアリオストについて叙情詩人として語っており、そして、彼の小作品については未知であることを装ってはいたが、これらの作品を知っており、摸倣している。とりわけ、アリオストのソネット第六番「その網は黄金の糸で編まれた」（'La rete fu di queste fila d'oro'）の、快い綺想のリスト、ソネット第二二番「わが淑女よ、汝は美しい、いとも美しい」（'Madonna, sete bella, e bella tanto'）の、詩人によって愛された女性の想像力にあふれた記述、そして、エレジー第六番「私には昼よりも、明るく澄んだ夜」（'O più che il giorno a me lucida e chiara'）の、恋愛事件についての辛辣な語りが該当する。デュ・ベレーとオリヴィエ・ド・マニーは、アリオストの諷刺詩をも摸倣している。

　ジョゼフ・ヴィアニーと、彼に続いたアリス・キャメロンは、プレイヤード派に属する者たちをとくに惹きつけたのがアリオストの詩句の情熱的で煽情的な特徴であることを示した。[☆1] 彼らが摸倣したのは、アリオストの官能的な詩句であり、たとえば、美しい魔女アルチーナの描写（『狂えるオルランド』八・一〇～一六）、また鯱（オルカ）への犠牲のために岩壁に裸体で繋がれた王女オリンピアの描写（同一一・六五～七二）であった。この詩句はティントレットのいくつかの絵画に照合するものが見いだされ、それゆえその時代の趣好の特徴的な側面を証言している。また、愛する対象であるルッジェーロの不在によって惹き起こされる、ブラダマンテの五つの嘆き（同三〇・八二～八三、三二・一八～二五および三七～四三、三三・六二～六四、四五・三二～三九）、ブラダマンテからルッジェーロへの手紙（同四四・六一～六六）、イザベッラが愛する者、スコットランドのゼルビーノの死をめぐる悲しい物語（同二四・七七～八七）も評判をとった。

　アリオストがフランスの叙情詩人たちのあいだで享受した厚遇は、フランスと、アリオストが住んでいたフェッラーラを結びつけていた知的、商業的、外交上の強い絆によって説明することができる。すなわち、一五二八年に、フランスのフランソワ一世の妹のルネ（イタリア名レナータ）は、フェッラーラ公アルフォンソ一世の長子、エステ家のエルコレ二世と結婚した。ルネは、エルコレ一世のように、美術、音楽、文学に深い関心を抱いていた一群のフランス人にとりかこまれていた。同じ時期に、エルコレ二世の弟のフランチェスコはフランスの宮廷に滞在しており、また、もう一人の弟のイッポリトは、一五三九年にリヨンの大司教に任じられており、彼は美術と文学の庇護者として有名であった。このような知的交換が、フェッラーラのもっとも偉大な詩人の名声をフランスに広めることに著しく寄与したのである。

イタリアとイギリスのあいだにはこのような絆は存在しなかった。それゆえ、アリオストの名前は、当時のイギリスの知識階級のなかで、イタリアから影響を受けていた環境において関心を喚起した、すべてが一流とは言えない、ほかのイタリア人著作家の名前と並んで知られていた。アリオストについて何度語られ、彼の詩句は何度摸倣されたのであろうか。われわれのあいだでは、アンナ・ベネデッティが四五年ほどまえに、『イギリス人の知的生における「狂えるオルランド」』（*L'Orlando Furioso, nella vita intelletuale del popolo inglese*, 1914）という情報は豊富であるが、批判的かつ文献学的観点は貧弱な書物において、イギリスにおけるアリオストへの言及と彼からの引用を蒐集しようと試みた。しかし、ある作家の外国における運命は、彼が散発的に引用された回数によってではなく、彼の作品が独自の創造活動に与えた刺激、あるいは彼の人物像が、伝説において存続するような、民衆的な空想力に与えた刺激によって測られる。この後者の刺激がマキャヴェッリの場合であり、そして、規模はより小さいが、アレティーノの淫蕩ソネット集の場合である。

一方アリオストは、彼の諷刺詩と喜劇においても、引用され摸倣されたほかのイタリア人著作家と肩を並べていたが、しかし唯一無二の存在であったのであり、『狂えるオルランド』によって、イタリアがイギリス独自の文学の創成をうながした第二の大きな刺激を与えた。第一の刺激はチョーサーの時代に確認されるもので、この詩人はダンテ、ボッカッチョ、ペトラルカの足跡をたどり、フランスのアカデミー派の摸倣者（エピゴーノ）の衣を捨て、はじめて、イギリス文学をヨーロッパ文学の最前線へと導いたのである。

チョーサーの『トロイルスとクリセイデ』（*Troilus and Criseyde*）は、大雑把に言えば、ボッカッチョの『フィロストラト』（*Filostorato*）の翻案と、またスペンサーの『妖精の女王』（*Faerie Queene*）は『狂えるオルランド』とタッソの『エルサレム解放』（*Gerusalemme liberata*）の教訓化された混淆と述べることができるにもかかわらず、私は先に「独自の」（originale）という言葉を用いた。だが、ルネサンスにおいて際立っていた独自性という概念は、ロマン主義以降にその言葉が負った概念とはきわめて異なっている。当時は、ある著作家やある画家が、主題上あるいは図像上の伝統にしたがっていたとしても、それによって偉大さが減ずるとは考えられなかったのであり、アリオスト自身も、ピオ・ライナの有名な『「狂えるオルランド」の典拠』（*Le fonti dell'Orlando furioso*, Firenze, 1900）が教示している典拠すべてに負っていたのである。

しかし、スペンサーについての探究を進めるまえに、ひとつの問を置くことにしよう。すなわち、アリオストがイギリスで得ていた評判は、この詩人が現在でもわれわれのあいだで評判をとっているのと同じ理由に拠るものなのであろうか。それは、あの空気のように軽やかな魔術的な幻想という性質のゆえなのであろうか。そこにおいて、彼の書物を開くことは、木々を撓め、逃げ去る馬と騎士たちと、木の葉が舞うように移ろう女性たちを出現させ、甲冑の鳴る音と遠くでファンファーレを響かせる、いくとおりもの風が通りすぎる森に侵入することである。アリオストは彼のリズムによって人気を博したのであろうか。このことがある点までは——後述するように——スペンサーの場合に言いうるとしても、アリオストは、イギリス人たちにとって最初は、物語の語り手という姿のもとに現われたということを認識する必要がある。それゆえ、われわれは英語の言い回しを用いて、アリオストの初期の普及者たちが「木を見て森を見ることが叶わなかった」（failed to see the wood for the trees）と言うことができるであろう。

彼らが最初に見たのは、『アリオダントとスコットランド王の娘、イェネウラの物語』（*The Historie of Ariodanto and Ieneura, daughter of the King of Scottes*）、すなわち、アリオダンテとジネヴラの物語である。それが関心を呼び起こしたのは、地域的理由（スコットランドという背景）、あるいは常にイギリス人を感動させることができるテーマ（無垢の女性に課された過失からの回復）によるもので、ピーター・ベヴァリーによって荒削りの英語に訳され、一五六六年頃にトマス・イーストによって刊行された。[☆2]これが、『狂えるオルランド』の一部分の最初の英語版、あるいはむしろ、最初の翻案である。そして、このイギリスの詩人——もし詩人と呼ぶことができるならば——は、ボッカッチョの摸倣においてチョーサーが獲得した熟達にはるかにおよばなかったにもかかわらず、アリオストの背後に佇むことを潔しとせず、自らが依拠した外国の詩人の名前についていっさい触れずにすませている。すなわち、彼の「粗野な本」（rude

Book）のピーター・リードへの献呈文においても、読者への書簡においても、アリオストの名前は見いだされないのである。

そして、おそらくベヴァリーがアリオストについて沈黙したのは好都合であった。というのは、彼の作品のとりわけ第一部に横溢しているきわめて粗雑な文飾をアリオストに帰することは、ひとつの虚偽であり、ひとつの侮辱であったであろうからである。この詩人は、まさに何年ものあいだ、セネカの英語版に用いてきたのと同じ韻律を適用しながらも、原典の精神を具えた英語版という点においてははるかに不実な者であった。ここでは、スコットランドの宮廷の気晴らしの一節を引用するだけで十分であろう。

The coutieris rise that use disportes, as pleaseth best their will,
Some Hauks reclayme, some Coursrs ride and some do daunce their fill,
Some joye in reading Histories and some in Musikes art,
Thus time is spent in comly sportes, as pleaseth best their hart . . .

宮廷人たちは起きて、自分たちの願望をもっとも満足させるために、気晴らしをする。
ある者は鷹を要求し、ある者は駿馬に乗り、ある者は心ゆくまで踊る。
ある者は物語を読むことで喜び、ある者は音楽で喜ぶ。
こうして時は、彼らの心をもっとも満足させるために、上品な気晴らしに費やされる。

この粗雑な翻案によって、『狂えるオルランド』はイギリス文学のなかに、あるいは少なくとも、教科書において「文学」と呼ばれているものの大部分を構成している、準文学（paraletteraria）と呼ばれるほうが適切であろう広範な文学的所産のなかに受容された。フランス人は『狂えるオルランド』の煽情的な詩句に惹きつけられたが、一方イギリス人は、無垢な女性が中傷され迫害されるという道徳的物語に強い印象を受けた。この種類の選択のなかに、両国民を特徴づける指標を見るのは誤っていることであろうか。

それでは、アリオストの最初の英訳者、ジョン・ハリントンはなにに惹かれたのであろうか。ことによると、リズムに、歌唱された詩の調和のとれた渦に惹かれたのであろうか。私の見るところ、そうではなく、彼もまた小話(ノヴェッラ)に惹かれたのである。というのは、彼の有名な『狂えるオルランド』の英語版は、エリザベス女王によって、この宮廷人にして洗礼を与えた子に課された罰に負っている、と言われているからである。すなわち、彼は女王に仕える女性たちのあいだに、ジョコンドの好色な小話（『狂えるオルランド』第二八歌）の英訳を広めたのである。こうして彼は、宮廷に再び出入りが許されるまえに、他(た)の四五の歌を翻訳しなければならなかった。

この紳士はバース近郊のケルストンの地にひきこもっていたのであろう。そしてそこで、何年ものあいだ、暖炉のそばで毎夜、ときおりは宮廷から遠くにあって溜め息をつきながら、われわれ［イタリア］の太陽のもとで開花した英雄武勲詩を英語に翻訳していた彼の姿を、われわれは想像することができる。この英語版は一五九一年に日の目を見たが、そのときには、アリオストの詩はすでに、イギリスの宮廷人と教養人にはよく知られていた。アリオダンテとジネヴラの小話はすでに二度も翻訳され、戯曲の主題となり、そして、つれない美女の典型としてのアンジェリカへの言及はよく見られるものであった。

一六世紀の終わりごろ、『狂えるオルランド』の評判はイギリスの語彙に、「パラディン」（paladin［義侠心に富む騎士］）、「ロドモント」（rodomont［ほら吹き］）、「ロドモンタド」（rodomontade［大言壮語の］）、「ロドモンタド」（romomontado［同］）、「ヒッポグリフ」（hipogriff［頭部・前脚は鷲で翼をもち、胴体・後脚は馬の海獣］）という言葉を導入した。ひとりのスコットランド人、バルディネイスのジョン・スチュワートは、ジェイムズ六世に、アリオストの詩から編纂した、オルランドとアンジェリカの物語についての興味深い英語版を献呈していた。

ハリントンが用いた『狂えるオルランド』のイタリア語版は、一五八四年にヴェネツィアで刊行された、シモーネ・フォルナーリの註記がついた、ジロラモ・ポッロによるものである。イタリア語による註釈、とりわけ、フォルナーリのもの（Simone Fornari, *Sposizione sopra l'Orlando Furioso*, Firenze, 1549）とオラツィオ・トスカネッラのもの（Orazio Toscanella, *Bellezze del Furioso*, Venezia, 1574）は、アリオストの詩を周知の中世的理論――それによれば詩人たちの寓話は道徳的、哲学的真実への暗示を語っている――の光のもとで解釈しようとするもので、エリザベス朝の、アレゴリーと道徳観を愛好するイギリス人たちから大いに支持された。ハリントンは自らの英語版の序文において、伝統的な四つの解釈――字義的意味、道徳的意味、寓意的意味、神秘的意味――とともに、アレゴリー的解釈の方法について論じている。

このアレゴリー的方法は、アリオストのもっとも偉大な摸倣者、エドマンド・スペンサーにおいて際立っている。『妖精の女王』（最初の三巻は一五八九年一一月に出版社に渡されており、三つのグループの第二番目は一五九六年に刊行され、一二巻から構成されるはずであった著作は未完のままで残された）の典拠の問題は、最初に思われたほど簡単なものではなく、ベネデッティによって提示された、諸作品に平行する詩行の一覧表に解消されるわけでもない。たしかに、アリオストからの、そしてタッソからのスペンサーへの影響のリストは荘厳なものである。アリオストの八行詩節（オッターヴァ）の存在がなくては、スペンサーの詩節（スタンザ）は誕生しなかったであろう。とはいえ、後者は洗練された終結部において、夢見るような空気に包みこまれ、反響しつつ涙を誘う抑揚で飾られている。

一五九〇年頃に、スペンサーがイギリスではじめて、長詩の区分のひとつを、イタリア語で「カント」（canto）と呼んだ。しかし、関係づけられた詩行の正確な対照のすべてによっても、また登場人物と逸話の明らかな影響のすべてによっても、スペンサーとアリオストとのあいだの類似は表面的なものにとどまる。われわれは、典拠の対照表よりもむしろ、両者の詩の雰囲気に留意しなければならない。最初に『狂えるオルランド』の第一歌を、次に『妖精の女王』の第一歌を読むことにしよう。

万華鏡の諸要素は同一であるが、それを回す者の手の動作は別である。さまざまに組みあわせながら、麦藁、色ガラス、飾り玉、ゴム糸の断片は、異なる世界を生みだす。アリオストの歌の強調点は愛に置かれる。この詩人が物語を始めるのは、小川のほとりで、教訓を述べる騎士たち、押し入る駿馬たち、自らを嘆く別の騎士たちの、壮大な目隠し鬼からであり、そしてすべては、二つのヴィジョンによって、すなわち、遁走(フーガ)の旋律にのって飛び去る者と、浮かれ騒ぐ陽気で抑制のきかぬ者によって支配されている。アンジェリカは恐ろしく暗い森を逃げ続ける。別のヴィジョンは静的で、哀歌のようなきわめて緩慢な動作によって読み解かれるエンブレムである。薔薇は処女(おとめ)に喩えられる。そして実際、あらゆるものは花開き、生き、そして衰える。

「その日を摘め」(carpe diem) は薔薇のモットーである。「その日を摘め」は、一七世紀後半のイギリス詩人、アンドリュー・マーヴェルが、次の記憶されるべき二行に凝縮したものを示唆する遁走の韻律を示しているように思われる。

　しかし、わが背後に、私は常に聞いている、
　〈時〉の有翼の戦車が急いで近づいてくるのを。

アリオストの時代の宮廷風の優雅な社会では、このように言われていた。「その日を摘め」、ラファエッロとティツィアーノによって描かれた、瞬くまに優雅さに包まれ、明日は萎む人間の薔薇、すなわちイザベッラたち、エレオノーラたち、ベアトリーチェたちの容貌のなかに。そして、剣の柄、あるいは香りのついた手袋、あるいは一輪の花を、明日は骨とやつれた腱でしかなく、ついで儚く無感覚な塵となる手のなかにつかんでいる貴顕や武者の容貌のなかに。それは、イタリアの小国家の絶頂期に到来した、暴君なような若者と快楽に浸る女性の社会であり、すでに色あせた封建社会の輝かしい、束の間の再生をもたらし、同時に、騎士道的詩と図像を具えたインプレーサへの趣好を蘇

らせていた社会である。このインプレーサによって、愛と悦楽と夥しい放埒の世界［一五世紀のイタリア］に集中砲火を浴びせた、侵入者のフランスの軍隊は飾られていた。

アリオストはこの世界を再創造し、分解していた。そしてパオロ・ジョーヴィオは『戦いと愛のインプレーサについての対話』（*Dialoghi delle imprese militari e amorose*）を執筆していた。そこに見いだされるのは、馬上槍試合、凱旋行列、ページェント、スペクタクルであり、寵愛、一瞬の優雅さと美、薔薇のエンブレムである。『狂えるオルランド』は、あたかも退却する馬のように、北方ヨーロッパのなかに、イタリアに由来する騎士道的題材をもたらしたが、それは、英雄たちを武装解除し分別を失わせる愛の表徴と、また短期間だけ生きのびる薔薇の表徴のもとにであった。それは、ヴィタリアーノ・ブランカーティが「ガッリズモ」［男性らしさを誇ること］と呼んだもののなかに、今日においても残存している、永遠の地中海的モティーフであった。

われわれは『妖精の女王』の第一歌を読むことにしよう。スペンサーもまた、「騎士淑女の気高いおこない」について歌うであろう。そして、「激しい戦いと誠実な愛が私の歌の教訓を説くであろう」と宣言するであろう。また、マルスとともに、ウェヌスとクピドに祈願するであろう。しかし、「運命の女王」によって、恐るべき龍を退治するために大きな冒険へと送られた「赤十字の騎士」は、古（いにしえ）のベオウルフのことを想い起こさせないであろうか。白い驢馬に乗り、牛乳のような白い子羊を携えた、白さが際立つ乙女の「ユーナ」は、そのままで、中世の神秘劇から採られたように思われないであろうか。彼らは、アリオストの登場人物のように道に迷うが、彼らの周りの情景は、現実の世界というよりもむしろ、暗示的なもの、象徴的なものである。

「ああ、姫（と騎士は語る）、かくれた影におびえて
尻込みするのは恥となりましょう。
美徳は自らの光で暗闇をも通り抜けられます」。［『妖精の女王』第一巻第一歌一二、和田勇一・福田昇八訳、以下同］

赤十字の騎士は洞窟のなかで怪物に、ブロンズィーノの寓意画（図1）におけるように、半身が女性で半身が蛇の怪物に遭遇する。そして、自らの周りに無数の子をもっている怪物は、アリオストの第四二歌でリナルドを茫然自失とさせた怪物であり、唯一の相違は、『妖精の女王』では、詩人がすぐに怪物のアレゴリー的な意味を述べて、その危険を教えている点である。「神よ、〈迷妄〉の果てしない罠にかかった者を助け給え」［第一巻第一歌一八］。そして詩人は、その怪物がただちにアレゴリー的な反吐を吐くとしている。「この怪物の反吐には、本や小冊子がいっぱい入っていた」［同二〇］。

少しのちに［同二九］、騎士は裸足で黒いヴェールをかぶった老人、ひとりの隠者と出会う。すなわち、邪悪なアーキメイゴー［大魔術師］で、彼ら［騎士と乙女］を歓待し、〈眠り〉の家に使者を遣わすが、それは〈眠り〉によって、騎士に淫らな夢を見させるためである。一方で彼は、ユーナの偽りの幻像を創りだした。この幻像は騎士の前に「ふしだらな女」（a loose Leman）として、騎士が知っていた貞潔な乙女ではなく、優しい愛欲の女性として現われることになる。アリオストは『狂えるオルランド』第一四歌において、〈眠り〉の家について描写していた。彼以前には、オウィディウス、スタティウス、チョーサーが描写していたが、チョーサー自身はオウィディウスに加えて、ギヨーム・ド・マショーの『愛の泉の歌』（*Dit de la Fonteinne Amoureuse*）における摸倣を利用した。

スペンサーはアリオストからなにがしかをとりだしたが、よりオウィディウスとチョーサーに依拠していた。これら二人に見いだされ——そして、アリオストに見いだされない——モティーフは、眠りを導く滝のそれである。このモティーフにスペンサーは、きわめて音楽的な展開を与えており、それはのちに、テニソンの「安逸の人びと」（'The Lotos-Eaters'）において想い起こされるであろう。このような詩句によって、スペンサーは「詩人の中の詩人」という添え名を得ることができるであろう。そして、アリオストの晴明な、マンテーニャ的な世界との対照は、二人の詩行の対照から明らかになる。以下は、アリオストによる〈眠り〉の家の描写である［第一四歌九二〜九四］。

図1――ブロンズィーノ
《愛のアレゴリー》
一五四〇年～四六年
ロンドン
ナショナル・ギャラリー

アラビアの、人里遠く離れたところ、
年古りた樅(もみ)や丈夫な椈(ぶな)の木に
鬱蒼と覆われた二つの山のその陰に、
心地よげなる谷間があって、
太陽が明るい日差しで照らせども、
茂れる枝葉に遮られ、
光はそこには差し込まず。
してそこに地底に通ずる洞穴がある。

その暗き森の中、岩肌に
広く、大きな洞が穿たれ、
その入り口は捩れる蔦が
びっしりと絡まっている。
この住まいにて重き〈眠り〉は横たわり、
その両脇には肥え太りたる〈無為〉と、
また足が弱って、歩けぬために、
地べたに座った〈怠惰〉とが侍す。
ぼんやりとした〈忘却〉が戸口にあって、

図2――アンドレア・マンテーニャ
《美徳の庭から悪徳を追放するミネルウァ》一四九二年～一五〇二年
パリ　ルーヴル美術館

誰も通さず、誰をも見分けず、
口上聞かず、取り次がず、
みな同様に追い払う。
〈沈黙〉はフェルトの靴はき、黒ずんだマントを纏い、
見張りをしながら、あたりをうろつき、
来る者あれば、遠くから、
来てはならぬと、手で合図する。［脇功訳、以下同］

たしかに、これはアリオストによるアレゴリー的表象化であるが、たとえば、イザベッラ・デステの書斎（ストゥディオーロ）を
ある時期飾っていた、マンテーニャの《美徳と悪徳の戦い》（図2）が有している造形的な明瞭さをともなっている。
次のスペンサーの描写は、造形的というよりもむしろ音楽的である。

一匹［アーキメイゴーが闇の深淵から呼びだした蠅のような霊］は、果てしない大空と
広々として深い水の世界を飛びぬけて、
モーフュースの館へと急ぐ。
この館は険しい海底の奥深く、
朝日の光も届かぬ所にあり、ここではテシスが
モーフュースの濡れたベッドをいつも洗っており、
シンシアがモーフュースの
うなだれたままの頭を銀の露にひたし続け、

重苦しい夜が彼を黒いマントで覆っている。

館の二重の門の錠はしっかりと下ろされていた。
一つは、磨き上げた象牙で美しく作られており、
もう一つは、一面に銀箔が施してあった。
そして門のずっと前の方には目ざとい犬どもがいて、
安らかな眠りを妨げがちな敵である
〈心配〉を追い払うために番をしている。
その側をこの霊はこっそりと通りぬけ、
モーフュースのもとの来てみると、ぐっすりと
眠りこけており、何にも注意を払わない。

そしてさらに、安らかな眠りに誘い込むために、
高い崖から滴りおちる滝と
絶え間なく屋根をうつ雨が、
群がる蜜蜂の羽音にも似た風の呟きと混じって、
彼をぐっすりと眠り込ませていた。
他の物音や、城壁を廻らした町に住む者を
いつも悩ますようなうるさい人声は
そこでは聞こえず、ただ、安らかな〈静寂〉が

仇なす者どもから遠く離れ、永遠の沈黙に包まれていた。

これは明らかにオウィディウスの次の一節（『変身物語』一一［六〇二～六〇四］）を想い起こさせる。

無言の静けさに覆われているが、岩根から湧き出す
レーテーの川水がさらさらと流れる。
川波によって小石の擦れる音が眠りを誘う。［高橋宏幸訳］

これはチョーサーの『伯爵夫人の書』（*The Book of the Duchess*）の一篇を想い起こさせるが、スペンサーの詩句はいわば、すでにロマン主義的な雰囲気に包まれており、日陰のうえの、とりわけ、眠りを誘う静かなざわめきのうえの満ち足りた緩慢さをともなっている。モーフュースの邸宅の雰囲気は陰影を含み、神秘的になり、アリオストのマンテーニャ的洞窟とはきわめて異なっている。

『妖精の女王』のなかには『狂えるオルランド』のより直接的な摸倣が多く存在するが、われわれが読んだ詩行において表わされたものは、多かれ少なかれいたるところに見いだすことができる。そこでは同一の、あるいは類似した冒険が企てられ、同じ、あるいはほぼ同じ戦闘がくりひろげられる。しかし、アリオストの冒険や戦闘は地上でおこなわれるが、スペンサーのものは、天空で、虹のかかった雲のあいだ、いわば空中でおこなわれる。あるいは、北方の森林の中の濁った、乳白色の水鏡の上に、アリオストの正午の太陽の下の生彩に富む人間的な戦闘が、不明瞭で魔術的な輪郭をもちながら反射している。どこにリズムは、すなわち、その戯れが普遍的な調和へと解消していく、アリオストの渦の巻く運動はどこにあるのであろうか。そこの空気はより濃密になっている。エミリオ・チェッキがケンブリッジのキングズ・カレッジについて、啓蒙的な数ページにおいて述べたことを、スペンサーについてもくり

かえすことができるであろう。[☆3]

キングズ・カレッジの礼拝堂では、集中化の特質がより神秘的に、そして同時により濃密になっている。身廊の窓から発する北極の緑の光線は、光のイメージを海底の森に与えた。われわれイタリア人の建築の円柱とアーチは、イタリアの風土の乾いた明るい晴朗さのなかで、素材の論理的な経済性を追求し、そこに人間の努力と忍耐を真摯に表現しつつ、建物の重量を支えている。一方、この地イギリスの重厚な雰囲気のなかでは、事物は軽快になり、その建築物を支える人間の努力は軽減され、それに秩序を与え、配置する自由は増加する。われわれイタリア人にあっては、円柱は力と義務を表わすひとつの要素であり、イギリス人にあっては、優雅で空想をかきたてる要素となっている。

われわれのもとには、石の晴明な隷属がある。キングズ・カレッジの礼拝堂には迅速な生長がある。すなわち、それは葉を具えた茎を摸倣し、上昇し、リブと網目のなかで多重化される（図3）。われわれの穹窿は静態的な、活力と美という単純な傾向に収斂する定理である。かの土地では、静態的な定理は、紋章的な天空を、花々にあふれたパビリオンを創出するための誘因である。

しかし、こうした想像力を広げ、石にロマン主義的な夢を抱くことができるのは、構造物としての生彩ある現実感が希薄な場合のみである。ある構造物の一部が重力感を失っているのは、それを支えている別の部分がより大きな重量を担っているにすぎないからである。つまり、いくつかの要素を演じる戯れが貧弱になればなるほど、想像の力が自由に発揮されることになる。イタリアの建築は石と大気の関係で成立している。一方、キングズ・カレッジの礼拝堂から私は、植物と水の単純で躍動感を欠いた関係しか感じとることができなかった。

この厳格ではない関係においては、様式と美は繊細さに欠けるところがある。われわれの高貴な建築において、彫像はいわば常に高貴な彫像である。この高貴な建築において、彫像はいわば常にグロテスクである。ヘンリー

図3——キングス・カレッジ礼拝堂　ケンブリッジ

図4――トリニティ・カレッジの門　ケンブリッチ

八世は、ケンブリッジ大学トリニティ・カレッジの豪華な門のうえに不用意な足つきで立ち、魔王のように、曲がった王冠をかぶっている（図4）。壁の紋章をよじ登っている動物たちは、海藻のあいだを滑っていく冷たく毛のない怪物の身体のように、滑らかでほっそりとした身体をもっている。この過度の単調さ、この鉛色の壮麗さは、実際のところ、北方的なものである。

「過度の単純さ」(lussuriante monotonia) と「鉛色の壮麗さ」(magnificenza plumbea)。これらの言葉をまた、『妖精の女王』の紋章的、そしてアレゴリー的幻想のためにくりかえすことができないであろうか。スペンサーは、すでにアリオストに表わされていたアレゴリー的要素を利用しただけではなく、『狂えるオルランド』がいかなるアレゴリーも意図していなかった人物や逸話をもアレゴリー化したのである。ルッジェーロとアストルフォの冒険はイタリアの詩人においては、節制の歩みを象徴していた。しかし、スペンサーのガイアンは、ルッジェーロのような躍動的な人物ではない。彼は最初から、〈禁欲〉の厳密で、型にはまった、紋章的な擬人化であり、いわば、自分のマントの縁に刺繍された名前をつけており、ルネサンスのページェントにおける仮面(マスケラ)のようなものである。
イタリア人の『狂えるオルランド』の諸注釈に見いだされるアレゴリー的な兆候をすべて、スペンサーは発展させた。フォルナーリによれば、アトランテは肉体的情熱を表現し、ブラダマンテは聖なる、あるいは霊的な愛を表現する。アトランテの城を維持する、火で満ちた壺は愛の情熱と嘆息である。……この火は『妖精の女王』における魔法使いビジランの邸館の門にも見いだすことができる。それは淫欲の炎であるが、肉体的愛に勝利する〈貞潔〉の擬人化である、清純なブリトマートを攻撃することはできない。

トスカネッラによれば、アンジェリカの遁走は、一人でさまよう〈美〉がさらされている危険を象徴していた。フォルナーリによれば、それは、遁走が淫欲的な愛に対抗する唯一の救済策であることを意味していた。スペンサーによるアンジェリカという人物の利用は、その複雑な空想によって特徴づけられる。『妖精の女王』において、アンジェリカはすべて象徴的な、三つの異なる人物を生みだす。フロリメルのように、彼女は侵犯者たちから逃れる貞潔な愛の典型である。一方、アリオストのアンジェリカにおいては、煽情的な、媚びを含んだ女性であった。

このような特徴は、スペンサーによって偽りのフロリメル、すなわち、ただ外見的に貞潔な「雪の」フロリメルにおいて利用された。彼女は結局、ブラガドッチオの手に落ちるのであるが、それはアンジェリカが卑しい下僕のメドーロに身を捧げるとの同様である。アンジェリカはまた、男性たちを軽蔑していた、高慢な女性でもあるが、のちに傷ついたメドーロに心を動かされる。そして、スペンサーにおいては、高慢な女王ベルフォービーが、ティミアスの傷の手当をする。しかし、われわれがそこに、アンジェリカとメドーロの逸話の反復を期待していると、ティミアスは彼の看護婦を愛してしまい、その愛が拒絶されるのを知って、オルランドのように正気を失う。

しかし、『妖精の女王』には、道徳的アレゴリーだけではなく、また政治的アレゴリーも存在する。アーサーが夢のなかだけで空しく求めるグレゴリーナは（アンジェリカとオルランドのエピソードの別の反復）、エリザベス女王である。

そして、アーサーはおそらくレスター伯である。しかし、エリザベスの、政治的な目的で、ヨーロッパのさまざまな君主たちに自分と結婚するという想いを抱かせて翻弄するという側面は「雪の」フロリメルに反映されており、ブラガドッチオはおそらくアランソン公であり、スペンサーのフェローはオーストリアのヨハネスである。

これらが現代の批評家たちの空想であるとは信じがたい。スペンサーの時代は、隠された示唆、インプレーサ、そしてモットーに夢中になっており、それらは神秘的ではあるが、一部の人びとには明瞭であった。騎士道は仮面をかぶった馬上槍試合に、慇懃な愛は秘文字で綴られる遊戯に変質した。アレクサンドリア的なものと中世的なもののあいだの空気が、アレゴリー、エンブレム、秘密めいた物語を愛好する時代を包みこんでいた。

アリオストの詩にのちにつけくわえられたアレゴリーが、スペンサーの詩全体に浸透している。スペンサーの新奇さはアレゴリーの形態のもとに、中世の騎士道物語的な叙事詩を提示したことであろう。こうして、スペンサーはアリオストを前にして、中世への回帰を表現しているように見えるが、それはチョーサーがボッカッチョを前にして生じたことである。というのは、チョーサーは『トロイルスとクリセイデ』において、ボッカッチョが、クレティアン・ド・トロワの純粋に中世的な定式を反映する宮廷愛の法典に対して犯した誤謬のすべてをとりのぞいた『フィロストラト』を提供しようと企てたからである。

そして、この中世への回帰において、スペンサーはわれわれのマニエリスムの画家たちと共通する趣好と態度を有している（彼らとエンブレム、インプレーサ、ページェントへの趣好を共有していた）。以上で述べたことに加えて、これがスペンサーにおいては、ただ表面的で、目立つ、魅力的なものだけを表わしていたことだけを指摘すべきであろう。その下層には、C・S・ルイスが巧みに論じたように、世界の根本的な対立をめぐる、すなわち光と闇、生と死、諸原理の闘争という宗教的観念をめぐる――カルデロンの聖餐劇（autos sacramentales）とシェリーに見いだされる――関心が存在している。[☆4]

この詩人がこれらの最大の二律背反（アンチノミー）と対処するさいの謙譲、誠実さ、そしてフィレンツェに起源がありながらも、根本的にはプロテスタント的で厳格なプラトン主義は、スペンサーを、彼とはきわめて異なる気質の著作家たち、たとえば『農夫ピアーズ』（*Piers Plowman*）のラングランドや『天路歴程』（*Pilgrim's Progress*）のバニヤンと結びつけるモティーフであり、またそれは、彼の作品に対して、韻律上の不決定や、妖精の王国の、飾りたてられ、触知できない情景のように、とりわけイギリス的であるような、徹頭徹尾イギリス的な特徴を付与するモティーフである。

『妖精の女王』におけるよりもアリオストの精神に類似したものを、われわれはシェイクスピアの戯曲において見いだす。ただしそれは、アリオダンテとジネヴラの逸話によって、アリオストが間接的な典拠とされている『空騒ぎ』（*Much Ado About Nothing*）ではなく、アリオストの名前がこの作品のどの註釈家たちによっても言及されていない戯曲、すなわち『夏の夜の夢』（*A Midsummer Night's Dream*）である。

この戯曲においても、『狂えるオルランド』と同様に、中心的な動因は、愛、気紛れで横暴な愛であり、それは自らの規則を変え、従者を換え、主人公の男女の思慮分別を失わせ、卑しい人物に夢中にさせる。アンジェリカは従者のメドーロと、ティターニアは驢馬の頭をもつボトムと恋におちいる。オーベロンはティターニアを貶めるために、気紛れの愛の象徴というべき妖精のパックに、ある魔術的な花を手に入れるように命じる。その花の液が、眠っているティターニアの眼に注がれると、彼女が目覚めたときに最初に見た者に夢中になる。

この秘薬を瞼のうえに置かれたティターニアが目覚めると、パックによって驢馬の頭が据えられた機屋のボトムが、彼女の傍らにいる。ティターニアはすぐに彼に恋してしまい、彼に甘言を弄する。思いだしていただきたいのは、『狂えるオルランド』第一九歌［一八］のアンジェリカである。

大いに傲岸になって、
この世の男はなべて厭うて、
たった一人で旅を続けて、いかに名高き男といえども、

道連れにふさわしからずと思い。〔脇功訳〕

アンジェリカはかつてオルランドに愛されたことを考えるだけで恥じ入り、リナルドを愛したことをなによりも悔いて、彼の前で眼を伏せる自分を惨めに感じる。

愛神（アモーレ）はこのような思い上がりを見咎めて、
もはや我慢がならぬとばかりに、
メドーロの倒れている場に先回りして、
弓弦（ゆんずる）に矢をばつがえて、待ち伏せした。

アンジェリカは傷ついて衰弱するメドーロを見て、普段とは異なる憐れみの情から不憫に思い、この若者を治療するために草の汁を準備し始める。この目的のために彼女は、血を止める効能のある、心地よい岸辺で薄荷（はっか）や花独活（はなうど）のような草を見たのを想いだして、それを探しにでかける。これらのことは偶然の一致であろうか。すなわち、オーベロンがかつて見た、そしてパックに探すように命じる花の汁とアンジェリカが探す草の汁とのあいだには、類似する情況という背景のもとに、ある関係性が認められると思われるのではなかろうか。メドーロの傷が癒えるやいなや、アンジェリカは彼に狂わしく夢中になる。「メドーロは、乙女の世話で、見る間に傷が癒えていったが、それよりさらに短いあいだに、乙女の方はその胸より深い傷をこうむる」〔一九・二七〕。それゆえ、ここにおいても、高慢な女性が、卑しい機屋の腕のなかに身を委ねるのである。

『夏の夜の夢』において、気紛れで横暴な愛は別の仕方でも描かれている。ハーミアは父が決めたディミートリアスと結婚することを拒絶する。というのは、彼女はライサンダーを愛しているからである。一方、彼女の友人のヘレナは、ディミートリアスを愛しているが、彼はハーミアのためにヘレナを棄てる。アテネの法律にもとづいて、テーセウス公はハーミアに、父の意志に従うために四日の猶予を与える。その日が過ぎれば、彼女は死を受け容れるか、あるいは、生涯の純潔を誓わなければならない。シーシアスが、彼女に結婚するように誘う言葉のなかには、薔薇との対比が見いだされる。

だが世俗の幸福とは、摘み取られ、香りを愛でられる
薔薇のごとし。処女の棘をつけたまま枯れ果て、
独り身のまま生きて死ぬのは不幸せだ。〔『夏の夜の夢』、第一幕第一場、河村祥一郎訳、以下同〕

この対比は、エラスムスの『対話集』(*Colloqui*)のひとつ(求婚者と少女との対話)に見いだされるものと類似している。「私は、茎に固着して衰える薔薇よりも、眼と鼻を楽しませながら、人間の手の中で萎れていく薔薇のほうが幸福だと考える」。これは、まさに薔薇についての、次のアリオストの有名な八行詩節(オッターヴァ)〔一・四二〕と相反するように見える。

されどひとたび母なる茎や
緑の株より摘み取られなば、
人間や天が与えし賜物の、
その優美さをたちまち失う。

しかし、シェイクスピアの「処女の棘」(the virgin thorn)という表現は、アリオストの「処女は……棘ある茎の上にて」(verginella ... su la nativa spina)という表現と類似していることが認められる。

さて、われわれは、『夏の夜の夢』の筋に戻ることにしよう。ハーミアとライサンダーは、法律によってしばられないところで結婚するために秘かにアテネを去ることで、そして、町から数マイル離れた森のなかで落ちあうことで合意する。ハーミアはヘレナにこの計画をうちあけ、ヘレナはそのことをディミートリアスに教える。ディミートリアスはハーミアを森のなかに追い、ヘレナはディミートリアスを追う。こうして、四人は夜の森のなかで出会う。

ウィリアム・ハズリットは、この戯曲について語りながら、次のように述べている。「この喜劇を読むことは、月明かりの森のなかを彷徨うようなものである」。この印象は、われわれが『狂えるオルランド』第一歌の簡単な分析において見たように、アリオストから受けとるものと同じである。森へと導かれる恋人たち、慇懃で放埒な目隠し鬼。ライサンダーがハーミアに語る愛とは、アリオストの時代の社会が認めていた、アリオストが知っていた激しく束の間の愛――「その日を摘め」がモットーである愛――と同じ愛ではないであろうか。

音のような一瞬で
影のように素早く、夢のように儚く、
暗い夜の稲妻のように短い
天と地をぱっと一瞬照らし出すのに
「ほら、ご覧」と言う間もなく、
暗闇の顎に呑みこまれてしまう。
輝くものは、そのようにいつもたちまち滅びるのだ。

ディミートリアスが森のなかで、彼と共にいようと追ってきたヘレナの叫び声を聞くと、オーベロンはパックに、ヘレナが近くにいるときに、ディミートリアスの眼に愛の秘薬を少し落とすように命じる。ところが、パックはライサンダーをディミートリアスととりちがえて、ライサンダーにこの秘薬を注ぐ。そして、ライサンダーが見たはじめての者がヘレナだったので、彼はヘレナに求愛することになり、からかわれていると思った彼女を怒らせる結果となる。

オーベロンは、パックの過ちに気づいて、ディミートリアスの眼に秘薬を落とすが、その結果、ヘレナは二人の男性から言い寄られることになる。二人の女性は口論となり、二人の男性はヘレナをめぐって争い始める。その少しのち、オーベロンの命令によって、パックは恋する者たちを霧で包みこみ、再び彼らを一緒の状態にする。彼らが眠っているあいだに、パックは彼らの眼の上に魔法を解く草を絞る。こうして、彼らは目覚めて、当初の愛へと戻ることになる。

すでにベネデット・クローチェは、このような愛と無関心との交互の転移が、「イタリアの騎士道的物語において、二つの有名で、互いに近くにある泉の効果——一方は心を愛の欲望で満たし、他方は当初の情熱を氷へと変える——によって生じる奇妙な紛糾」を想い起こさせる、と述べていた。そのことに関連して、アリオストは『狂えるオルランド』第四二歌［六二］で次のように歌っている。

わが君よ、そは愛の熱を消し去る
冷たき泉、その水を飲んだそのあと、
アンジェリカ、リナルドを疎ましく
思い始めたあの泉。
そして最初にリナルドがアンジェリカを
忌み嫌い、頑なに憎んでいたのも、
わが君よ、リナルドがその水を

　　飲んだがためにほかならず。

　リナルドはそれを飲みほす。

　　冷たい水を一気に飲んで、焼けつくような
　　胸の中から渇きと愛を追い出した。

『夏の夜の夢』の執筆は一五九三年から九四年にかけてと想定されており、そのときには、すでにハリントンによる『狂えるオルランド』の英語版が現われていた。シェイクスピアがそれを知っていたこと、そして彼のもっとも幻想的な戯曲のためにそれから着想を得たことはありうる。しかし、彼の典拠についての真正性を語ろうとしなくとも、そこにイギリス文学の他のいかなる作品よりも深い類似性が存在するという事実は歴然としている。結局のところ、アリオストの世界はスペンサーとは無縁である。一方シェイクスピアは、イタリアの雰囲気をたたえた自らの戯曲において、イタリア人を、エリザベス朝の血と復讐に満ちた悲劇が創出した狂乱の繰り人形としてではなく、等身大の人間として表現した。まさにシェイクスピアだけが、アリオストの詩の精神に分け入ることができた。
　イギリスにおけるアリオストの運命についてのわれわれの瞥見は、こののち歴史というよりもむしろ年代記を題材とするものになる。くりかえしになるが、イギリス文学におけるアリオストへの示唆について一巻の書物を編むこともできるであろう。すなわち、ウェブスターの『モルフィ公爵夫人』（*Duchess of Malfi*）第一幕第一場三二一行以下――アリオストの第三諷刺詩の一節が敷衍されている――と、同じくウェブスターの一六二三年刊行の『悪魔の訴訟』（*Devil's Law-Case*）――登場人物のひとりはアリオストと名づけられている――から、一七世紀の終わりのウィリアム・ベックフォードの書簡――『ヴァセック』（*Vathek*）の幻想的な著者に期待しうるように、彼は『狂えるオルランド』を大いに愛好していた——まで。『狂えるオルランド』第三一歌［一］の最初の詩行は、ある種の評判を獲得していた。

　恋する者の心ほど恍惚として、
　甘美なものがほかにあろうか。

おそらく、ウィリアム・バードによって奏でられた、イギリス最初のマドリガルは、アリオストの一節の「乙女は薔薇に似ている」（La verginella è simile alla rosa）であり、それはたしかに、遍く流布した。ジュゼッペ・バレッティは『イタリアの図書館』（*Italian Library*, 1757）において、『狂えるオルランド』の着想を不条理であると指摘したフランスの批評の悪罵に対して、アリオストの美しさを擁護していたが、その彼が助言と助力を求めたのがウィリアム・ハギンズであった。ハギンズは二〇年近く、この偉大な詩の八行詩節（オッターヴァ）の翻訳に費やし、彼の翻訳にはテンプル・ヘンリー・クロカーが協力した。

ハギンズは富裕な紳士で、アリオスト熱が昂じて、自分の庭園に六角形の小神殿を建て、当時のプレ‐ロマン主義的な趣好を示すゴシックアーチのうえに、自ら次のように刻みこんだ。

　私のそばを、ためらいがちのヴィアンダンテが立ち去る。
　ここに、恐るべき巨人はとどまってはいない。
　見かけは美しい妖精アルチーナもまた。
　私は魔術師アタランテの城ではない。
　積み方は粗雑だが、神々しいアリオストへの
　愛の証拠がここに置かれる。

これはわれわれに笑いを誘う詩句であるが、彼の英語版もそれより上等というわけではなく、バレッティはハギンズの翻訳を直そうとして、四〇日間というもの、額に汗しつつ、結局無駄骨を折り、その代償として、四〇ギニーの壮麗な時計と、加えていくらかの金銭と贈りものを受けとった。

ハギンズがアリオストへの愛情を示したのは、ゴシック風の小神殿と、同様にゴシック風の翻訳（一七五五年刊行）によってだけではない。彼は、ラパンやヴォルテールと競ってアリオストを貶めたトマス・ワトソンの『スペンサーの「妖精の女王」についての考察』（*Observations on the Faerie Queene of Spencer*, 1754）の攻撃に対して、アリオストを弁護した。残念ながら、ハギンズの弁護は、彼の翻訳への註釈に見られる感嘆の叫び以上のものを具えてはいなかった。たとえば、「最も優雅な比較！　最も繊細な詩節！」、あるいは「なんと甘美に終わる情景！」というものである。

一七七九年から八〇年にかけて、アイルランドの聖職者ヘンリー・ボイドは、『狂えるオルランド』を翻訳というよりも、むしろスペンサー的詩行に翻案し、「詩的効果を高めるために」「冗長な感情」を含んでいる詩行はすべて省き、猥褻な詩句にはさらに厳しい態度を示して、それらを変更し、あるいは削除した。一七八三年に、すでにタッソを翻訳していたジョン・フールによる別の英語版が現われ、イギリスにおいて、二人の詩人をある程度は一般的にするのに貢献した。ただし、フールの詩行は凡庸であり、彼の文献批判的な趣好についてはまったく不明である（つけくわえておけば、彼もまた官能を刺激する詩行はすべて省略している）。

ようやく一八二五年になって、ウィリアム・スチュワート・ローズが、『狂えるオルランド』の最良の英語版を八行詩節（オッターヴァ）で刊行した。それについてウーゴ・フォスコロは、次のような言葉で賞讃している。「ローズは、英語の詩節（スタンザ）の処理において、またアリオストの英語版において、ひとつの最良の模範をわれわれにもたらした」。一七七一年に、この詩作品の豪華なイタリア語版が、著名な画家の挿絵入りで、バーミンガムの書肆バスカーヴィルから刊行された。

ウォルター・スコットとロバート・サウジーは、ホールの英語版によってはじめて『狂えるオルランド』を読んだ。サウジーは、アリオストの入念だが、今日ではほとんど読まれていない詩篇から着想を得るともに、それらに高い評価を与えており、自著『タラバ』(*Thalaba*)について、ためらうことなく次のように述べている。「私は、これと『狂えるオルランド』のあいだに位置を主張しうるような詩を知らない。……正直に言うならば、おそらく、私はアリオストと張りあう勇気はもたない」。

今日、リー・ハントによる、クロリンダーノとメドーロの逸話やメドーロとアンジェリカの田園詩の翻案を読む者がいるであろうか。また、『イタリア詩人による物語』(*Stories from the Italian Poets*, 1846)に収められた、彼の別の英語版を読む者はいるであろうか。

このわれわれの時代に、どれほどのイギリス人がアリオストを読んでいるのか、私は知らない。理論上は、われわれ「イタリア人」の傑作群のなかでも、『狂えるオルランド』を、イギリス人がより容易に理解し、讃嘆することができることはまちがいない[☆5]。というのは、アリオストの寓話のユーモアに満ちた非論理性と、『不思議の国のアリス』(*Alice in Wonderland*)という、あの「ノンセンス」の古典の精神のあいだに類似性がないとは言えないからである。

ところで、T・S・エリオットのおかげで、ダンテという名前と彼の作品が今日のイギリスの文学者たち、とりわけ詩人たちのあいだで一般的になっている一方で、私はアリオストの唯一の崇拝者と出会ったことを想い起こしている。その人物とは、ロンドン大学ユニヴァーシティ・カレッジの元教授のエドモンド・ガードナーで、彼は自らの主著をアリオストに捧げている。だが、おそらくジョン・ダンの場合を例外として[☆6]、ひとりの教授の熱狂がひとりの詩人の運命を創造したことがあるのだろうか。

(一九五二年〔伊藤博明訳〕)

イギリスにおけるタッソ

エリザベス朝のイギリスは、あらゆるイタリア的な新奇さに憧れていたので、即座にタッソに讃嘆することを学んだとしても驚くべきではない。エリザベス女王自身が、『エルサレム解放』(*La Gerusalemme liberata*) の多くの詩節を覚えていた。[☆1] そして、フェッラーラ公のことを、「自らの誉れを歌う偉大な詩人をもったことのゆえに」、「偉大なホメロスをもった」アキレウスと並ぶ幸運な者とみなしていた。法律家シピオ・ジェンティーリの「きわめて優美で、きわめて洗練された」[☆2] (leggiadrissimi e politissimi) 詩行によるラテン語版は、一五八四年にロンドンで刊行され、エリザベス女王に献呈されている。[☆3]

イギリス人たちのあいだで、この詩人が送った波乱万丈な生涯への関心が広まっていたことはまちがいないであろう。というのは、『タッソの憂鬱』(*Tasso's Melancholy*) と題する戯曲が、一五九〇年から一五九五年までに数多く上演されていたことから判断して、彼がある種の評判を享受していたと思われるからである。[☆4]『アミンタ』(*Aminta*) は、一五七四年六月にレディングで、イタリア人の役者によって田園劇として上演されたと考えられてきた。その上演のための小道具として、棒、柄の先が曲がった杖、牧人用の仔牛の毛皮、ニンフのための矢、サトゥルヌスのための大鎌、そして「野人の衣服のための馬の毛」などが挙げられていた。[☆5]『アミンタ』はその一年前にフェッラーラで上演されていた。

しかし、スペンサーの『妖精の女王』(*Faerie Queene*)による摸倣によってはじめて、トルクァート・タッソは真にイギリス文学のなかに侵入した。だが、そのさいに強調されていたのは、そののちの諸世紀においても彼の特徴として認知されたもの、すなわち、官能的な魅惑と哀感に満ちた平安であり、のちにグイド・レーニの芸術のなかに美の理想を見いだす趣好と同じものを満足させるような、憂いを含んだ甘美な完璧さである。☆6

スペンサーとタッソには類似した情況がかなり存在しており、またスペンサーが『エルサレム解放』に想を得た、多かれ少なかれ自由な翻案も見いだされる。しかし『妖精の女王』第二巻第一二歌［五八・五九］においては、アルミーダの魔法の庭とその綺想［『エルサレム解放』第一六歌第九節］が英語において蘇っている。

そしてそれらの作品の美と価値を高めているもの、
すなわち芸術の技は、すべてを作りながら、少しも露わではない。

必ず思えよう(かくも巧みに作為が無為に紛れているので)
風景にせよ地形にせよ、ひたすら自然のままであると。
まるで自然が作りあげた芸術のようなのだ、何しろ慰みとして
みずからの摸倣者に戯れに摸倣するがごときなのだから。(鷲平京子訳)

スペンサーの詩行は以下のとおりである。

しかも、美しい作品すべてをさらに美しくするもの、
これらすべてを作った芸術の姿はどこにもなかった。

これを見た者は（粗野でつまらぬ部分が
立派な部分と実に巧みに混じり合っているので）、
自然は気紛れから芸術の真似をしようとし、
芸術は自然に不満を漏らし、
こうして互いに出し抜こうと努めているうちに
相手の作品をいっそう美しくした。（和田勇一／福田昇八訳、一部改変）

自らの摸倣者である技芸を、戯れに真似る自然という綺想は、何世紀にもわたって反響し続け、そして、オスカー・ワイルドの「嘘の衰退」（'The Decay of Lying'）における、芸術が生を真似る以上に生が芸術を真似る、というパラドクスにおいて再び現われるであろう。タッソの庭においては、すべてが、均衡を保ち、ルビーで飾られた時計装置の動きのごとく進むように見える。情景は音楽的に配されており、鳥たちはアレクサンドリアのヘロンの自動機械のように、あるいはハイドンの『おもちゃの交響曲』の鳥たちのように歌う。

愛らしい小鳥たちは緑の梢（こずえ）のそこかしこで
競いあうように悩ましい調べを奏でているし、
微風（そよかぜ）がしきりに囁（ささや）きかけては、
葉擦（はず）れや漣（さざなみ）の音を
騒（ざわ）めかせている、千変万化（せんぺんばんか）に吹き寄せながら。
小鳥たちが黙するときに朗々と響きわたる風は、

小鳥たちが歌うときにことさら優しく戦いで、
偶然にせよ故意にせよ、あるときは伴奏し、あるときは
交替するのである、鳥たちの囀りに妙なる風の音が。（鷲平訳）

こうして、タッソの至高の修辞のなかに、アンドレ・ル・ノートルの庭園が立ち現われる。そして、この詩行に続く、アリオスト『狂えるオルランド』（*Orlando Fuiroso*）第一巻第四二歌のモティーフを彫琢した、薔薇についての有名な詩行は、スペンサーによって英語に移され、のちにテニスンの「安逸の人々」（'Lotus-Eaters'）という合唱歌において反響することになるモティーフを提示していた。

「どうぞ見つめてごらんなさい」と、それは歌いだした、「薔薇の蕾が
その緑の萼から慎ましやかに清らかに綻びるさまを、
それはなおも半ばだけ開いて半ばは秘めたままで。
わが身を現わすのがわずかであればあるほど、ひとしお美しいものです。
ところがやがて見よ、露わな懐を早くも大胆に
晒しています。やがて見よ、萎れてもはやあの薔薇とは思えません、
もはや思えません、あの薔薇はいましがたまで慕われていたのに、
あれほど数多の若い娘たちから、数多の恋する男たちから。
一日の移ろいにつれて移ろいゆくのです。
死すべき定めの命は花にせよ緑にせよ。（鷲平訳）

テニスンの詩行は同じ家族に属している。

見よ、森の真っ只中に、
畳まれた蕾状の葉がそれを開いて姿を現わすように誘うのは
枝を渡りゆく風のしわざ、そしてそこでこそ葉は
緑を濃くし、大きく生長し、何も思い煩うことがない。
正午に太陽は空高く昇り、月の光を浴びて
夜毎、夜露に育まれる。黄葉（こうよう）のとき到れば
葉を落とし、空中に漂うばかり。
見よ、夏の光を浴びて甘味を増し、
果汁豊かな林檎は熟しすぎるほどに育ち、
静かな秋の夜にぽとりと落ちる。
〔天の配剤にて〕割り当てられた日数を経て、
花はそれぞれの場所にて熟し、
熟しては萎れ、そして落下し、何の苦しみもなく
実り多き土壌にしっかり根を下ろしているのだ。☆7（西前美巳訳）

結局、タッソは、『エルサレム解放』のこれらの詩行によって、彼の典型的表現のひとつとして常に認知されることになる情景と抑揚を創出した。☆8 彼の別のモティーフは、シェイクスピアの『お気に召すまま』（*As You Like It*）の主

要テーマのひとつを形成する、宮廷の嘘に満ちた生活に対置された田園の無垢な生活をめぐるもので、牧人たちのあいだのエルミーニアの逸話（第七歌［第一二節］）を通してイギリス文学のなかに浸透した。

いまやはるか昔になりますが、人がことさらに夢見がちな
若い年頃には、別な願いをわたしも抱いていましたから
羊の群れに草を食ませる仕事などは蔑んでおりました。
そして生まれ育ったわが故里を逃げ出すと、
かなりの年月をメンフィの都に住み、しかも宮中で
王の僕たちに立ち交じり、わたしも暮らしていたのでした。
しかし菜園で働く一介の番人にすぎなかったとはいえ
やはり見聞きしていて知るに至ったのです、邪な宮廷というものを。

けれども大それた野望に唆されるままに
長きにわたり耐えたのでした、不快きわまりない事どもに。
ところが花開く年頃が過ぎゆきにつれて
儚い望みも無闇な大胆さも薄れてゆきましたから、
憩いに満ちたこの慎ましい暮らしを偲んでは
失われたわが安らぎを嘆き悲しむようになり、
ついに告げたのです。《宮廷よ、さらば》かくして心親しい
森の木陰に帰ってこのかた、幸せな日々を過ごしております。（鷲平訳）

昔、若い盛りの頃、私は青春の誇りに
思いを掻きたてられた、仲間たちに混じって
羊を追い、羊飼いの貧しい服を着るのに
とても我慢できない時があり
そのとき、私はもっと大きな幸福を捜したかった。
そこで家を出て宮廷に行き、
一年毎の契約でわが身を売り、
王宮の庭で毎日働き、そこで、
今まで思ったことのない空しさを見たのです。

私にそんな姿を見るのに、やがて飽き果て、
宮廷人を喜ばす徒(あだ)な望みに長いこと惑(まど)わされて
生まれ故郷を出て以来、
十年間も青春を空しく送ったのちで、
自分の愚かな行いに嫌気がさし、
今更この美しい平安がないのを嘆いた。
そこで、自分の羊のもとに帰り、
それからというもの、ここにある質素で
静かな生活を深く愛することを知ったわけです。（*Faerie Queene*, IV, c IX, 24-25［和田・福田訳］）

ここで『お気に召すまま』第二幕の冒頭［第一場］の、前公爵の言葉を想い起こしていただきたい。

どうだ、追放の日々を共にする兄弟たち、
昔ながらの暮らしぶりのおかげで、ここでの生活は
虚飾に満ちた華やかな明け暮れより
ずっと楽しいではないか？　この森にしても
悪意の渦巻く宮廷よりはるかに危険が少ないだろう？
…………
俗世間を離れたここでの暮らしは、
木々の言葉を聴き、小川のせせらぎを書物として読み、
小石の中に神の教えを、森羅万象に善を見いだす。（松岡和子訳）

これまで、われわれはイギリスにおけるタッソの運命について瞥見してきたが、スペンサー、ダニエル（『アミンタ』から黄金時代の讃美の想を得た）、ドライデン、ジャイルズ・フレッチャー、そして多くのイギリスの詩人たちによって翻訳され、あるいは摸倣された個々の詩句に立ちどまることはひかえ[☆9]、次に、イギリス文学に豊穣な発展をもたらしたタッソのモティーフと形式に注目することにしよう。

われわれはすでに、旺盛な、あるいは悲哀を含む官能性によって惹き起こされたテーマのいくつかを見た[☆10]。別の特徴をもつモティーフは、タッソが『エルサレム解放』第四歌において、とりわけクラウディアヌスの『プロセルピナの略奪』（*De raptu Prosepinae*）とマルコ・ジロラモ・ヴィーダの『クリスティアス』（*Christias*）から想を得た「地獄の会議」

(Concilio infernale) のモティーフで、それは最終的にマリーノの『嬰児虐殺』(*Strage degli Innocenti*) において洗練化され、そこではサタンに「最初の輝き」の痕跡が付与される (マリーノによるサタンの眼には、タッソにおけるように恐怖と死のかわりに悲哀と死が宿っている)。それはミルトンの『失楽園』(*Paradise Lost*) 第一巻において再び現われ、そこではサタンの人物像は、アイスキュロスのプロメテウス〔『縛られたプロメテウス』〕とダンテのカパネウス〔『神曲』「地獄篇」第一四歌〕の人物像に属している、不屈の反逆者という性格を帯びている。[☆11] フィニアス・フレッチャーもまた、彼の『紫の島』(*The Purple Island*) における「地獄の会議」の描写のなかで、タッソを現前させている。

きわめて早い時期に、『エルサレム解放』は英語版によって繙くことができるようになった。そして実際、イタリア語原典よりもむしろフェアファックスの英語版から、ウィリアム・ブラウンは彼の『ブリタニアの牧人たち』(*Britannia's Patral*) のシーリアとフォロセルの逸話において、オリンドとソフローニアの逸話を摸倣したのである。エリザベス朝の英語版は二つ存在しており、一方は部分的なもので (最初の五つの歌)、『ゴッドフリー・オブ・ブローニュ』(*Godfrey of Bulloigne*, 1594) という題名をもつ。著者のR・Cは、郷土史と地誌の研究者、リチャード・カルー (一五五五年〜一六二〇年) と同定されており、この版はほとんど反響がなく、さまざまに評価されてはいるが、とにかくも、忠実さという利点を有している。[☆12]

他方は、有名なエドワード・フェアファックスの『ゴッドフリー・オブ・ブローニュ、すなわちエルサレム奪回』(*Godfrey of Bulloigne, or The Recoverie of Jerusalem*, 1600) であり、「彼の年齢を考えれば、驚嘆すべき正確さ」を賞讃したデイヴィッド・ヒュームの見解とは反対に、きわめて自由な翻訳である。たとえば、フェアファックスは、キリスト教的英雄詩から神話を排除しようとしたタッソの規範にまさに反して、躊躇することなく多くの神話的装飾をつけくわえている。この点や別の点において、イギリスの翻訳者たちは、タッソよりむしろスペンサーの跡にしたがっている。[☆13]

イギリスにおけるセネカの翻訳者たちがおこなっていたように、またのちにクラショーがマリーノの『嬰児虐殺』の英語版のさいにおこなっていたように、フェアファックスはしばしば、タッソの描写の細部を彫琢し、装飾している。[☆14] というのも、英語の単語の短さのゆえに、彼は詩節の範囲内に多くの言葉を配することができたからである。そして、ときおり、その敷衍はテクストの生彩を誇張するものとなり、たとえばルシファーの眼の「恐怖と死」は「不安、死、恐怖、そして驚愕」となり、魔物たちは、肩の上からぶらさがる「絡みついた蛇身の頭髪」で噛みつくものとなり、そして、彼らの尾は、タッソの第八歌におけるように、鞭のように「くねって這っていく」だけではなく、星辰が吊されている天空をじかに鞭打つものとなる。

彼らのいくつかの枝分かれした尾は上方へ伸びゆき、
そして、輝く星辰を震える天空からひきはなす。

ある場合にはこのような種類の誇張が見いだされ、別の場合には、クラショーに起こったように、イメージの彫琢が新しい美を生みだす。それはたとえば、ソフローニアがアルディーノ王のもとに赴く詩行に現われている。

そして彼女は出かけた。豊かな品々で一杯の
商店、しかし売るものはなにも展示されていない。
ヴェールは、彼女の眼の太陽のごとき輝きを曇らせる。
薔薇はそれ自身のなかに自らの甘美さを閉じこめる。

一方、イタリア語のテクスト（第二歌第一八節）にはいかなるイメージも存在しない。

乙女はただ一人で、民衆のなかを過ぎていく。

彼女は自らの美を隠すことも、露わにすることもない。
眼を自らに集中し、ヴェールにしっかり覆われて歩む、
慎ましく、雅びな様子で。

フェアファックスの英語版においては、詩行は二行連句(カプレット)にまとめられる傾向があり、タッソのアンジャンブマン［句跨がり］が減じられているが、一方、原典の対照法と対句法が強調されており、ポープにおいて頂点を極めることになる、英語の英雄的二行連句(カプレット)の発展に影響をおよぼした。翻訳者は対照法と対句法を、この修辞的技法がほとんど暗示されていない、あるいは隠されている原典の詩行にまで導入した。

彼ほどに美しい容姿と物腰をそなえておらず、
彼ほどに気高く勇敢な心を持ちあわせていない。（第一歌第四五節［鷲平訳］）

これらの行は次のように変えられる。

権威を湛えた、彼の高貴な容貌が表わされ、
彼の思惟は高尚で、彼の心は戦いにあって勇敢であった。

情感はより明瞭に、より図式的になり、表現の修辞は強調され、エピグラム的効果が発揮され、詩行は前後と結びつけられるかわりにそれぞれが自立的になり、区切りは警句性を際立たせる。ここにおいても、英語の単音節的な特徴が決定的な役割を演じており、それは正確な音節の区切りに、タッソの流れるような一一音節の流麗(レガート)な滑らかさの

かわりに切れ切れに離された（スタッカート）リズムを許すことになる。エドマンド・ウォラーは、その円滑で均衡を保った二行連句を広めたことで、ポープの先行者という名に値する詩人であり、フェアファックスの八行詩節を模範として自らの技法を研いた、と明言していた。☆15

エドワード・フェアファックスの息子のウィリアムは、イギリス人たちのあいだにイタリア詩への関心を広めることに貢献した。とりわけ、トマス・スタンリー（一六二五年〜七八年）と彼の群小詩人のグループに影響を与え、彼らはタッソを含むイタリアの詩人たちを翻訳し、摸倣した。☆16 また、タッソはとくに、いわゆる「形而上詩人」の最後の者、エイブラハム・カウリーに影響をおよぼし、彼はイギリスにピンダロス風頌歌（オード）とタッソに倣った英雄叙事詩を導き入れた。だが彼は、彼自身が負っていたものを認知していなかった。たとえば、彼は次のように書いている。

ピンダロス風頌歌（オード）については……それが大部分の読者によって理解されるかどうか、私は大いに疑っている。……それは、ハルカルナッソスのディオニュシオスが「雄弁をともなう偉大さと快」と呼び、彼がアルカイオスに帰していた種類の形式に属している、あるいは少なくても属することが意図されていた。脱線は多く、また突然になされ、長いときもあるが、それはすべての叙情詩作家、とりわけピンダロスの手法に従っている。人物像は異例で、大胆で、無謀でさえあり、私が別の種類の詩においては用いようとしない類いのものである。

このようにして、イギリスの読者は、カウリーがギリシア人から想を得たと信じるように導かれる。一方、ピンダロス風の詩の流行は、かなり以前からフランスとイタリアでは続いていた。われわれは、ピンダロス風の形式で執筆した初期のイタリア人のなかにタッソを見いだす。そして、タッソこそは、『クリスティアス』の著者ジロラモ・ヴィーダによる『詩学』（*Poetica*）にしたがって、叙事詩の規則を定めた者なのである。

カウリーが一六三八年頃にケンブリッジで、ダビデの試練についての英雄詩『デイヴィデイス［ダビデ物語］』（*Davideis*）

を執筆し始めたとき、この種類の宗教的叙事詩はイタリアで大きな評判をとっていた。この地では、マリーノの『嬰児虐殺』がすでに一六三二年、彼の死後に刊行されていた。そしてフランスでは、アントワーヌ・ジラール・ド・サンタマンとアントワーヌ・ゴドーの宗教詩が存在していた。

カウリーは一六五六年の『詩集』(*Poems*)の「序文」の、『デイヴィデイス』に言及している一節において、「ほかの詩人を摸倣するために放擲することは不当である」ホメロスとウェルギリウスを摸倣したと告白している。しかし実際には、嘘は詩にとって必要なものであるという考えに対して、彼はテーマを歴史から採ることの必然性に関するタッソの議論をくりかえしている。[☆17] 後者について、神話的寓話の使用は、「かつてほかに宗教がなかった時代には」有効であって、「それゆえ、なにもないよりは良かった」のであるが、狂気を嘲るわれわれにおいては有効ではない(タッソは、「古代の詩人たちにおいては、これらの事柄はわれわれとは別の考察によって、またおそらくは別の趣好によって読まれていたのであり、大衆によって受け容れられただけではなく、また宗教――それがいかなるものにせよ――によって是認されもしたのである」と述べている)。

ジョンソン博士[サミュエル・ジョンソン]は彼の『カウリーの生涯』(*The Life of Cowley*)において、『デイヴィデイス』が『エルサレム解放』に優るというライマーの見解に言及しながら、手法がきわめて異なるように思われる二人の詩人を、なぜ比較しなければならないのか、と問いかけている。しかし、イギリスの詩人がイタリアの詩人に負っていることは、仔細に比較してみるならば、『デイヴィデイス』の冒頭の詩行を命題と祈願――カウリーは当時の流行にしたがって、聖なるムーサをマグダラのマリアに変更している――から始めていることから容易に証明することができる。カウリーの方法についてのよい例は、ダビデのところに現われるために人間の形姿を帯びた大天使ガブリエルの描写によって与えられている(第二歌七九四行以下)。

ガブリエル(どんな祝福された霊もよりも優しく美しい)が

身体を得て、凝縮された空気を自らの身にまとい、
人生の新鮮な花が開くときの、すべてが麗しい若者のごとくなるとき、
この卓越した技巧よ、天上の機(はた)によって織られたものよ。
彼は皮膚として、もっとも柔らかく、もっとも輝く雲を採ったが、
それは、正午の太陽さえも光を通すことができぬもの。
頬の上には生気に満ちた赤を塗ったが、
それは、美しい朝のもっとも深い赤でつくられたもの。
無害の燃えあがる流星が頭髪として輝き、
そして、彼の両肩の上に、解かれて優雅に落ちる。
彼は絹のマントを天空から切りだし、
そこではもっとも鮮やかな群青が眼を喜ばせる。
彼はこれのすべてを、星辰の蒸気によって光らせる、
それらが成熟して消滅するまえに、最初のものを採りあげる。
新しい虹からは、それがすり減り消えるまえに、
選りすぐりのものを手にとって、それでスカーフをつくる。
小さな流れる雲を、彼は両翼として現われさせ、
いかなる有徳の恋人たちの吐息も、それより優しくはない。
これを彼は、太陽のもっとも豊かな光線によって輝かせ、
捉えられたそれは、彼が戯れる透明な流れの上を滑っていく。

カウリーは、ガブリエルの身体化というタッソのテーマについて、巧みにヴァリエーションを編んでいるにすぎない（『エルサレム解放』第一巻第一三〜一四節）。

まずは不可視のその姿に一巻きの風を纏（まと）って
死すべき者の視覚に耐えうるようにした。
人間の身体つきを、人間の顔だちを、巧みに象（かたど）り、
ただし天界ならではの威厳で仕上げをした。
そして少年から青年へと移ろうころの齢（よわい）を
選び、そして光の束で金髪を飾りたてた。

それから純白の翼を付けたが、金色（こんじき）の縁どりに輝く
この翼で……（鷲平訳）

この点について、ジョンソンは次のように述べている。「これはカウリーのイメジャリーの典型的な例である。一般的な表現においては偉大で力強いものとなるものを、彼は小部分に分枝することによって弱め、滑稽なものにする」。この批評は、もしジョンソンがタッソの原典まで遡るという労苦を厭わなかったならば、それによって確証されるのを見いだしたことであろう。『デイヴィデイス』のこの詩節へのカウリー自身の註記において見いだされるのはタッソではなく、聖トマス・アクィナスとウェルギリウスであり、あたかも、カウリーが自らの着想をこれら二人の混合からひきだしたかのように見える。

われわれは、いかにタッソが叙事詩における驚異的なものの源泉として「地獄の会議」を利用したのかを見た。彼

にしたがって、カウリーは自らの第一巻において「地獄の会議」を採りあげたが、そのさいにタッソを模範とし、そして、マリーノ『嬰児虐殺』の「地獄の会議」のクラショー訳に由来するいくつかの詩行に装飾を加え、こうしてミルトンに先駆する者になった。上述したように、ミルトンは同一のテーマをとりあつかうにあたって、タッソ、マリーノ、そしておそらく、ルシファーの嘆きにおいては『デイヴィデイス』から想を得たのである。カウリーのサタンは次のように語る。

　おお、わが酷く変わりはてたありさまよ!　おお、わが運命よ……

そしてミルトンのサタンは次のように語る（第一巻八四行以下）

もしお前があの者だとしたら……おお、それにしても
その落魄（らくはく）した姿はなんとしたことか!
その変わりはてた姿はなんとしたことか!（平井正穂訳）

ジョンソン博士はカウリーのルシファーを、「彼の言葉に効果を与えるために、その胸を長い尾で鞭打つことによって終えている」とからかっていた。しかし、ここでカウリーは、タッソが魔物たちに帰している癖を（第四歌第四節）悪魔の頭（かしら）に適用しただけである。

　あるいは背後に巨大な尻尾を引きずらせて
　それが鞭のごとくにくねっては伸びてゆく。（鷲平訳）

タッソのこの詩節の残りの部分は、地獄の魔神の群れを描写しており、それはカウリーの第二巻（七六五行以下）で摸倣されている。そこでは、ある悪魔たちは「彼らの二つに裂けた足を押しつけ」（タッソでは「ある者は野獣の足跡を地面に押しつけ」）、別の悪魔たちは「黒くからみついた頭髪から口を開いた蛇を引き離す」[18]（タッソでは「人面に蛇身の頭髪をからみつかせ」であるが、このカウリーの描写にはおそらくフェアファックス版の影響がある）。

タッソに霊感が訪れたとき、彼が座右に置いていた英雄叙事詩の規則――彼は厳密な古典主義を唱道しているが、実際にはそれを彼のパレットの柔らかい色彩で和らげている――に、ミルトンは厳格にしたがっている。しかし、『詩作論』と『英雄詩論』におけるタッソの規則を、彼の実践例によって描きだすのは容易なことではない。

文体の三つめの要素である構成は、文や文の一部をなす節が長ければ、壮麗な感じを帯びるでしょう。……一般的な用法に逆らって動詞を配置することも、頻繁にはできないことですが、弁論に気高さをもたらします。[19]

文の要素と文節の長さ、つまり文末の韻律の長さは、散文のみならず詩句においてなおさら、演説を偉大で壮麗なものにするのです。[20]

分解された詩句は、ひとつが別のなかに入りこむことにより……、演説を壮麗で崇高なものにします。[21]

同様に、格の置換と言うことができる、交差（antipallage）は、語りの壮麗さを増すことができます。[22]

斜格［主格・呼格以外の文法上の格］から詩句を始めることは、語りにおいて同じ効果の原因となるのが常です。

それゆえ、「斜めの」、あるいは「曲がった」語りと呼ぶことができるのであり、たとえば次の詩句においてそうなのです。「食物——わが主人が常に富んでいる涙と苦痛という食物——によって、私の哀れな心は養われる」[☆23]。

これらとともに、順序の反転を挙げることができます。そのときには、のちに言うべきであることが先に言われます。なぜなら、壮麗な語り手には事細かなこだわりはふさわしくないからです[☆24]。

そして、言葉の移転ですが、それは普通の用法とはかけ離れています。……そして、自然の秩序の変更では、のちに置かれるものを先に置きます。……そして、「ヒュペルバトン」があり、それは［言葉や句の］分解、あるいは挿入と言うことができます[☆25]。

（英雄詩人は）美しい物事のうちもっとも美しいものを、偉大なもののうちもっとも偉大なものを、驚異的なもののうちもっとも驚異的なものを選び出します。そしてもっとも驚異的なものについて、新奇さと卓越さを高めようとするのです[☆26]。

これらの文体的術策のすべてをミルトンは自在に利用した。そして悲劇を書くという最初の計画を放棄して、そのかわりに叙事詩を書いたとすれば、この変更は、タッソの議論に影響されたからかもしれない。タッソにとって、あらゆる詩の形式の中で、英雄叙事詩が第一位を占めるのである。

私はもはや、悲劇は短い時間で物語を結末まで導くことができないこと、この喜びはもはや制限されないことを否定できません。喜びの生成は、悲劇においても喜劇においても、小さな身体と大きな身体の力（ヴィルトゥ）量のように起きます。なぜなら、たとえ大きな身体の力量のほうがより統一され、より分散したとしても、誰も小さいことを選んだわけではないからです。しかし両者が相対するときは、大きな身体の力量のほうが大きくなります。これと同様に、英雄叙事詩の喜びのほうが大きく、むしろそれが真の喜びなのです。そこでは、悲劇の喜びが悲しみと落涙と混ぜあわされ、すべてが悲嘆で満たされるでしょう。……ただし私は、悲劇のほうが結末にうまく到達すると認めるわけではありません。むしろ、悲劇は遠回りで歪んだ道を通っていくのに対して、英雄叙事詩はまっすぐに結末に向かいます。二つの方法で範例を役立てることができるでしょう。ひとつは、至高の美徳とほとんど神聖と言ってよい功績という勝利をわれわれに見せることにより、われわれに良きおこないを鼓舞すること。もうひとつは、罰や苦悩をともなうものによりわれわれに恐怖を与えること。前者はまさに英雄叙事詩であり、後者は悲劇なのです。[☆27]

英雄叙事詩の文体は、悲劇の簡潔な重さと抒情詩の華やかな美しさの中間に位置しますが、並はずれた威厳の輝きで双方を凌駕しています。[☆28]

エリオットがミルトンに見いだした欠陥、すなわち、シェイクスピアのイメージに比べて、「彼のイメージは細部の感覚を与えない」ということ、そして、彼の統語法の複雑さは「言語的響きの要請によって規定されている」ということは、タッソの諸規則に遡らせることができる。[☆29] タッソによれば、ホメロスとウェルギリウスを比較して、どちらがより多くの力量(ヴィルトゥ)を有しているか問うことできる。

カステルヴェトロが言ったように、一方［ホメロス］は物事を目前で起きたかのように、詳細に見せます。他方、すなわちウェルギリウスは、より普遍的な次元に立ちます。カステルヴェトロの目に映ったとおり、それは技術の不備のせいですが、私が評価するところでは、より壮麗に、より重厚に物事を述べるためなのです。なぜなら、物事をこと細かく描写したところで、どちらの美点にもつながらないからです。[☆30]

英雄叙事詩においておもに必要なのは心地よい響きです。そこに、ドーリス旋法がもたらすような、素行の品位や威厳が保たれます。[☆31]……

タッソは少なくとも理論上は、古典作家の厳密な模倣を推奨している。

ギリシアとラテンの詩の諸原則を範例とせずには、なにごとも考察できません。一方、新しい道を探すと、賞讃よりも多くの非難や譴責をひきおこします。[☆32]

われわれが称讃するかの演説、かの詩歌は、このうえなく厳密であると同時にこのうえなく壮麗で、フェイディアスの彫像によく似ています。彼の彫刻は非常にきめ細かい技術でつくられ、洗練と偉大さをもちあわせていました。[☆33]

ギリシア彫刻の理想美は、かの人文主義後期の画家と詩人たちの心を奪ったようである。それでも、アンニーバレ・カラッチとタッソがそれらを目の前にしたとき、数世紀にわたって血脈に流れていた古典主義の妖術に対抗する解毒剤を彼らはもっていた。しかしプッサンとミルトン[☆34]は、古典美の理想を信奉するやいなや、その魔法に魅了された。それはあたかも、伝承に語られる、ウェヌスの大理石像の指に結婚指輪をはめた若者のようであった。壮麗さと厳粛さはミルトンにとって揺るぎなき規則となった。彼はその叙事詩において［『失楽園』序文］、「別の詩句からさまざまにひきだした詩句」（タッソ曰く、「分解された詩句は、ひとつが別の中に入り込むことにより……演説を壮麗で崇高なものにします」）によってできた文章を使用してそれらを追い求めただけでなく、スマートが指摘したように、すなわちジョヴァンニ・デッラ・カーザのソネットを模倣したソネットでも追求した。[☆35] タッソは若いころに、まさにカーザのソネット「この死すべき人生」（'Questa vita mortal'）について論じている。[☆36]

このソネットの詞はコンジャンクト式［ひとつの核音を共有し、そのまま上下に接続する音形］でつくられ、ひとつの詩句が次の詩句につながらないことはほとんどありません。詩行をこのように割ると、あらゆる教師により教えられたように、多大な厳粛さを生じさせます。その理論は、詩行の分割は演説の流れを抑制し、遅さの原因になり、この遅さがまさに厳粛さの特性となるというものです。ただし、このうえなく重々しい雅量に付随するとき、遅さは言葉と同じく動きの要因となるのです。

私は、タッソの詩作品によって彼の諸規則を説明するのは容易でないと述べたが、一方で、「壮麗」や「音の響き」というタッソの概念にもっとも接近したのは、ミルトンの叙事詩なのである。加えて、『世界創造の七日間』（*Sette Giornate nel Mondo Creato*）のような晩年の詩における時間の長さと十一音節のリズムが、ウーゴ・フォスコロを先取りする新古典主義的抑揚を与えているのを見いだすことができる。

プリンスが主張するように、『エルサレム解放』と『世界創造』をタッソの詩論と関係づけて考察したとき、それらがタッソの提案したことを示しているということ、そして、無音節で書くという新しい方法がタッソの『世界創造』においてはじめて、熟慮を重ね、首尾一貫した仕方でイタリア語において利用されたということは、明瞭というわけではまったくない。[☆37] プリンスが言及している、この詩の第一日（一九行以下）と第七日（三八三行以下）からの引用は、『失楽園』のあらゆるページほどに、タッソの理想に近いというわけではない。[☆38]

しかしながら、『トッリズモンド』の一節で、タッソの詩節にほかのどれよりも近いものが存在している。それは第二幕の最後のあたりで、トッリズモンドがジェルモンド王の来訪のさいに祝宴を命じる場面である。この一節は『失楽園』の技巧とはまったく関係がないので、ここに掲載することは有益であると思われる。

さあ、おまえたち、騎士たちよ、私はおまえたちに命じよう、
大胆な若者たちよ。ある者は荘厳で崇高な城を、
冷たく固い雪を用いて築けよ。
そして、その雪を周りの壁に載せよ。
その防御を固めよ、四つの隅に、
勇壮な四つの塔を建てよ。
そして、白い大建造物から、黒い旗を
風にはためかせ、天空へ高く掲げよ。
そして、ある者はそれを護り、ある者はそれを攻め、
ある者は競争において、ある者は跳躍において、
ある者は重く固い大理石の玉の投擲において、
自らの勇猛さを表わすように準備せよ。
ある者は、火薬と火を押しこみ、押しだす
鉄の熟練と技巧を示せよ。
ある者は、崇高な的を射ることで
達人ぶりを知らしめよ。そして、飛ぶ鳥のように

回転する杭の先端に据えられた
高い印を、震える矢で狙って射よ、それが
大地に落ちてとどまるまで。ある者は速い動きで、
打ちこみ、またかわせよ。敵の額に
一発見舞って、傷を負わせよ。一撃を受けただけで
尻込みするは恥たること。
ある者は固く荒い皮で周りを包んだ
重い鉛を右手にもって武装せよ、
敵が固い重みに呻くように。
ある者は両脚を綱の上で伸ばし、
空中で吊られながら、均衡を保って揺られよ。
ある者は、空中を駆られるように、車輪の
上で回れよ。ある者は水中の魚のように、
円から円の中へと滑りながら進めよ。
ある者は鋭い剣のあいだで、裸体で戯れよ。
ある者は車輪や大きな弓の形で
愉快な踊りを前に後ろに踊れよ、
古代の英雄たちの卓越した事績を歌いながら。
自らの音によって踊りを指図し、司る
王の命によって、鳴るシンバルと、

愉快な音をだすほかの金属と、
左の膝に結びつけられた鈴が、
高い声と鮮明な歌をかき消してしまう。
ある者は武装して、喇叭の音や響きのよい
風笛の音で、あるときは速く、あるときは遅く跳び、
さまざまな跳躍のあいだに、剣と剣をともに斬り
つけさせ、燦めきせるように打ちつけさせよ。
ある者は、ひどい冷気のなか、樅の木に点じられた
炎が音をたてて燃え盛るところで、
その周りを大きな輪となって廻らせよ。
こうして、最後の者が激しい火のなかに落ち、
輪が崩れると、それから彼は身を起こして、
仲間たちによって高い椅子へと挙げられる。
ある者は、氷が硬くなり軋むところで、
風を駆けるように駿馬を走らせよ。
そして、ある者は、雪に覆われた氷の上で、
かつては獰猛で、いまは従順な野獣どもを競わせよ。
それらはとても長く、枝分かれした角をもち、
風が吹くなかを、勝利を求めて競いあう。
そして、ある者は胸当てと兜で武装して

激しくあたり、胸と背に突きかかり、
固い鎧に穴を穿とうと、また甲冑を
突き破り、槍を砕こうと努めさせよ。
そして、私は（すでにジェルモンド王が玉座の
近くにいるので）、彼の方へと向かう、
私がすべてのなかから選びだしておいた、
わが深紅色と白色で身を包み、
飾られた数多の騎士たちとともに。
そのあいだに、わが優秀な指揮官は、
別のさまざまに輝く隊列を、馬に乗って、
あるいは徒歩で王宮に集めさせよ。
そして、灼熱の口から炎を、
黒い煙とともに、轟音を響かせて吐きだす
金属製の馬と、わが迅速な戦車をも。
そして、戦場という大きな空間を、
勝利の偉大な旗のもとに、満ちあふれさせよ。

タッソがオラウス・マグヌス[☆39]の物語から細部を採った、軍隊の遊びを描写しているこれらの詩行の格調高い英雄叙事詩的なリズムのなかに、実際、『失楽園』の韻律のモデルが見いだされるように思われる。

ところですぐ近くの平地に
多数の穴が設けられ、その穴の下には、火の海から溝を通じて
燃える水脈が引かれた。第二の軍勢は、早速この穴の中で
驚くべき技術を駆使して厖大な金の原鉱を熔かし、選別し、
鉱滓を掬いとった。第三の軍勢も、これに遅れてなるものかと、
地面に多種多様な鋳型を掘り、その空洞の一つ一つに
不思議な技法で滾りたつ穴から溶けた金を流し込んだ。
それはオルガンでいえば、一塊の空気を一方から
受けて、伝響板がそれを無数の管に送って音を吹き
鳴らすに似ていた。と、思うまもなく、流麗な
交響曲の調べと甘美な歌声につれて、神殿風に造られた
宏壮な建物が、地中から忽然として霧のように浮かび上がった。
まわりには、柱形や、金色燦然たる台輪を嵌め込んだ
ドリア風の柱がめぐらされていた。浮き彫りの彫刻の
ついた蛇腹も小壁も備わり、屋根は美しい意匠の施された
黄金で葺かれていた。（第一巻七〇〇～一七行［平井正穂訳］）

驕る都に警告を
発するために、気配ただならぬ大空に戦雲が立ちこめ、忽ち
対峙していた両軍が黒雲の只中で激突する姿が見られるというが、

それと同じように、これらの空中を翔ける騎士たちは、それぞれの前衛の前面に出て槍を構えて突進し、あわや密集した本隊が激突するかと思われる瞬間、停止するのであった。このような勇壮な戦闘競技のため、天の両端から発した火で空は炎々と燃えたった。また、もっと獰猛な天使で、巨人テュポンのように怒り狂い、岩を裂き山を抜き、旋風を巻き起こしつつ大気を駆けぬけてゆく者もいた。その阿鼻叫喚の凄まじさに、地獄も身震いした。（第二巻五三三〜四一行［平井訳］）

こういったものを、地下の深い所から、地獄のような焔を孕んだ生の状態のままで掘り出したいと、私は考えている。そして、それを空洞の長く丸い装置の中にぎっしりとつめ込み、もう一方の穴に火を転ずれば、それはたちまち膨張し烈火のようにいきりたち、雷鳴のような轟然たる音響とともにどんなに遠い所でも、恐るべき破壊力をもった弾丸を敵陣深くたたき込むはずだ。その威力は、およそそれに敵対する一切のものを木っ端微塵に粉砕し、徹底的に圧倒し去る強さをもっている。敵も恐怖に震え上がり、われわれがいつの間にか神からその唯一の恐るべき武器である雷霆を奪ってきた、と思うに違いない。（第六巻四八二〜九一行［平井訳］）

タッソのミルトンへの影響は、英雄叙事詩節の技巧にかぎられてはいなかった。ミルトンの『コーマス』（*Comus*）のスペンサー的特徴について多くのことが語られてきたが、その真のモデルがタッソの『アミンタ』であることに誰も気づいていないように思われる。[☆40] コーマスが淑女に、処女を棄てるように説得するための議論は、タッソの田園劇の冒頭で、ダフネがシルヴィアに用いる議論の発展である。一方、コーマス自身は、タッソのサテュロスの役割を演じている。『コーマス』は精神化された『アミンタ』である。サテュロスは裸体のシルヴィアを樹に縛り、彼女に暴力を加えようとするが、コーマスの束縛は魔法による不可視の作用である。こうして、官能性は諸感覚とは離れて伝えられる。

タッソの牧歌劇は、その柔和な雰囲気、きわめて気安く、旋律を奏でるようにほとばしる情熱と絶望、分別ある仕方で導入された神話的背景とともに（アモルが語る「序章」だけが際立ってヘレニズム的な調子を帯びている）、もはや認知できないまでに、古典古代の衣服をまとった中世的な道徳へと変形させられていた。

ドライデンは一六七〇年に刊行された『グラナダの征服』（*The Conquest of Granada*）の序文「英雄劇について」（'Of Heroique Play'）において、『狂えるオルランド』の冒頭部（「淑女たち、騎士たち……」）を引用し、「英雄劇は英雄叙事詩の、幾分かの摸倣でなければならない」とつけくわえている。しかし、アリオスト以上に、彼に英雄たちのモデルをもたらしたのはタッソであった。この点については、ロズウェル・グレイ・ハム教授が見事に、ドライデンの述べた事柄に関して、アルマンゾールのモデルがリナルドとアキレウスであったと主張したとおりである。[☆41]

タッソのリナルドは、たしかにホメロスのアキレウスよりも、あるいはおそらく、ラ・カルプルネードのアルテバンよりもアルマンゾールの原型であった。ドライデンは騒々しいフランスの英雄［アルテバン］よりもギリシアの半神たちを崇敬すると告白してはいるが、それにもかかわらず、前者の屁理屈と高貴なリナルドの比類のない雅量が一緒となって、アルマンゾールという混合体を構成したのである。

そして、より一般的には――

ドライデンの英雄的な恋人たちは分別を捨て去っていた。そして、叙事詩におけるリナルドの効果を悲劇において生みだそうと努めるなかで、バロックの領域へと昇っただけであった。

ドライデンの個々の場面（たとえば、一六〇一年の『アーサー王』［*King Arthuy*］の「魔法にかけられた森」の場面）のなかに、タッソの印象の痕跡を求めようとすることは無益である。というのは、この印象はきわめて緊密であり、ときおり、彼の感性と『エルサレム解放』の詩人の感性とのあいだに類縁関係があるように思われるからである。一般的にいって、イギリスではドライデンの演劇において、そして南ヨーロッパにおいてはメタスタジオの演劇において頂点を極める、英雄叙事詩的高揚のエンブレムとしては、タッソのクロリンダ、あの燦めく甲冑の下に優しい心を隠した女戦士よりも適したものを想像することはできないであろう。[☆42]

「愛は世界の魂」と、タッソは有名なソネットにおいて歌っていた。そして、愛によって打ち負かされるために、『すべて愛ゆえに』（*All for Love*）の作者［ドライデン］は、フランスの場面に、チェーザレ・リーパの『イコノロジーア』（*Iconologia*）の多くの象徴のような、すべて荘厳な寓意的人物像である〈美徳〉、〈名誉〉、〈名声〉を呼びだした。そしてそれらに、狼狽、恐怖、放棄というさまざまな態度をとらせて、魂という勝ち誇る君主の足下に置いた。またドライデンのなかには、のちのロマン主義的な特徴のひとつとなる「愛の死」（Lieberstod）というモティーフが現われている。[☆43]それは以下のように、オリンドとソフローニアの逸話において明瞭に告知されている［『エルサレム解放』第二歌第七〇節］。

だが、おお、わが運命はこのうえなく幸いであろうに！
おお、わが甘き殉教は幸運きわまりないであろうに！
もしも願いが叶えられて、胸と胸を合わせながら、
わたしの魂をあなたの唇に吹きこめるものならば。［鷲平訳］

ドライデンの『ドン・セバスチャン』（*Don Sebastian*）のなかで、アルメイダは次のように述べる。

われわれは、きつく抱きあうことよりも良く死ねるだろうか、
息を吐きながら、お互いの魂を吸いつつ。

「英雄劇は英雄叙事詩の、幾分かの摸倣でなければならない」という公理は、その帰結として、「〈愛〉と〈価値〉が議論を形成しなければならない」ということだけではなく、また英雄叙事詩のためにタッソが定めた規則が戯曲にも適用することができるという方へ導く。そして、タッソが、「英雄詩人は美しい物事のうちもっとも美しいものを、偉大なもののうちもっとも偉大なものを、驚異的なもののうちもっとも驚異的なものを選びだします。そしてもっとも驚異的なものについて、新奇さと卓越さを高めようとするのです」と述べているように、ドライデンは彼の登場人物たちに大仰な情感を付与し、彼らを寛大さにおいて互いに優越しようという馬鹿げた競争する者たちとして示し、ホメロス的趣好の輝かしく、長い比較を演劇的な章句のなかに挿入する。そして高貴な文体に一致する輝かしいイメージを、さらには（『ドン・セバスチャン』において）「詩脚と韻律の意図的な粗さ、人物像のもっとも高貴な大胆さ、議論の崇高さにもっとも適合したもの」を挿入する☆44（タッソが話の順序を変えることを推奨していたことが想い起こされる。「なぜなら、壮麗な語り手には事細かなこだわりはふさわしくないからです」）。

ドライデンは、タッソに多くを負っており、また、最初は彼のことを「近代詩人のなかでもっとも卓越しており、私はウェルギリウスの次に崇敬する」[☆45]と評価していたわけだが、もしドライデンが上記のタッソの見解に常に従っていたならば、彼は詩人ドライデンとして名を残さなかったであろう。ドライデンが『偽占星術師』(*Mock Astrologer*)の序文において、タッソへの賞讃を表明していたとき、すでに一六七一年にミルトンの『失楽園』が刊行されていたが、しかし彼はまだミルトンの影響下にはなかった。一六七七年に彼は、ミルトンをホメロス、ウェリギリウス、そしてタッソと並び称している。[☆46] 一六九三年に彼は、ペルシウスとユウェナリスの彼の英語版への導入として執筆した『諷刺詩の起源と発展についての論議』(*Discourse concerning the Original and Progress of Satire*)において、タッソについて留保を付している。

タッソの意匠は整然としており、時と場所の統一はウェルギリウスよりも厳格に守られているが、しかしながら、その作詩においては巧妙ではなかった。彼は自ら、あまりにも叙情的であったと、すなわち、英雄的叙事詩の威厳の下に、ソフローニア、エルミーニア、そしてアルミーダの逸話を書いたと告白している。彼の物語はアリオストのものほど愉楽を与えない。彼はあるときはあまりに仰々しく、あるときはあまりに退屈であり、多くの場合に均衡を欠き、ほとんど常にわざとらしい。加えて、彼は綺想、エピグラム的諧謔、警句に満ちている。これらすべては、英雄的叙事詩の下にあるばかりか、その本性に反するものである。ウェルギリウスもホメロスもそれらをもってはいなかった。……

しかし、タッソに戻ろう。彼はボイアルドの着想を借り受け、そしてその詩を自ら修正する——はなはだしく悪化させせながら——さいに、ホメロスをきわめて厳密に摸倣しており、(たとえば)エルサレム王に一五人の息子を与えているが、それはただ、ホメロスがピリアム王に同じ数の息子を帰していたからである。彼はもっとも若い者を同じ仕方で殺害する。そして、彼の英雄を、別の名前の下に、パトロクロと呼んだのは、友人が殺害されたときに、彼を再び戦場にひきもどすだけのためである。

しかし、これらの留保によって、ドライデンは、タッソのムーサを参観し続けることを阻まれはしなかった。彼の最期の大作『寓話集』（*Fables*）における、もっとも英雄的な物語には明らかにタッソの痕跡が見いだされる。ある時期、ドライデンはアーサー王についての英雄叙事詩を計画していた。そして、もしそれが実行されていたならば、おそらく、『エルサレム解放』の影響を免れるのはむずかしかったであろう。

さまざまな叙事詩人の長所について、そののちも比較がされていた。バッキンガム公、ジョン・シェフィールドは、『詩論』（*Essay upon Poetry*, 1682）において、タッソよりもスペンサーに好意を示している。ポープはアリオストよりもタッソに好意を示し、『イリアス論』（*Observations on the Iliad*）において、ホメロスを摸倣しているがゆえに、ウェルギリウスとミルトンを除いて、ほかの詩人よりも頻繁にタッソに言及している。そして、ポープはイタリア語で引用しながら、タッソの逸話と詩行について詳細に知っていることを示していた。しかしながら彼は、タンクレーディとクロリンダの愛の物語が、詩全体のあまりに多くの部分を占めていることを、そして、エルサレムの城壁から王に対して、主要なキリスト教戦士を列挙するエルミーニアの逸話が、ホメロスをあまりに盲従的に摸倣したものであることを指摘している。[☆47] ポープは彼の友人であり、助言者でもあったウィリアム・ウォルシュに対して、もし田園劇を書かねばならないとしたら、その思想とプロットの単純さゆえに――そこでは「なにごともたんなる偶然によってしか起こらない」――『アミンタ』を摸倣するであろう、と述べていた。

一七世紀の中頃からのちは、イギリスにおけるイタリア文学の評判は次第に下降していった。ジョゼフ・アディソンは『スペクテイター』（*Spectator*）誌第五号（一七一一年三月六日）において次のように考察している。「現代のイタリア人のなかで最良の作家たちは、きわめて華美な文体ときわめて退屈でまわりどい言い回しによって自らを表現し、それらは、われわれの国においては衒学者以外には用いられないものである」。これは、オペラの『リナルド』（*Rinaldo*）

の冒頭部に関するものであるが、それにおいては、魔法にかけられた庭園の情景に真実味を与えるために、生きた雀を舞台上で羽ばたかせている[☆48]（しかしながら、雀の歌は舞台の背後の楽器によって生みだされた）。そして、聴衆は、消防士たちが見守るなかで、数多くの雷鳴、雷光、花火を眼で見て楽しんだ。「そして、このオペラが想を求めた詩人自身については、私はボワロー氏の、ウェルギリウスの一節だけでタッソの『金ピカの飾り』（clinquant）全体に匹敵する、という見解に完全に同意しなければならない」。

ボワローのタッソへの厳しい判断は、イギリスにおいても追随者を生んだが、しかしイタリア詩の不遇な時代にあってそれへの関心を惹きつけたのは、まさにこの詩人であった。一八世紀の前半に、歌手で詩人のエリザベス・ロウ夫人は、『エルサレム解放』のもっとも官能的な章句ともっとも不気味な章句を翻訳していた。ほかの詩人たちも、それぞれが一節から三節ほどを翻訳した。それと同時に、タッソとグァリーニの田園劇の新しい改訂版がイギリス人たちに、イタリア演劇の栄光を想い起こさせた[☆49]。フェアファックスの『エルサレム解放』は一七四九年に新版が出版され、それはウィリアム・コリンズの『スコットランド高地地方の民衆の俗信に関するオード』（*Ode on the Popular Superstitions in the Highlands*）に影響を与えた。彼の『タッソ「エルサレム解放」のフェアファックス訳の出版者への書簡』（*Epistle to the Editor of Fairfax his Translation of Tasso's Jerusalem*）は印刷されず、逸失した。コリンズのオードにおいては、タンクレーディの魔法にかけられた森での逸話を読んだ印象が呼び起こされている。

いかに私は震えたことか、タンクレーディの一撃によって
　割られた糸杉から血がほとばしって流れたときに、
あらゆる生ける植物が死すべき言葉で話したときに、
　そして、激しい風が衰えた剣を運び去ったときに。
いかに私は座っていたことか、悲しげな風が笛を吹いたときに、

　イギリス人フェアファックスが奏でる、彼のハープを聴くために。
遍く知られる詩人の、疑いを抱かぬ精神は、
　自らが歌う、魔法に満ちた驚異を信じていた。
それゆえに、各々の音から、幻想が輝きでる。
　それゆえ、彼の温かみは佇む、もっとも優しく甘美な流れとともに。
溶け入りながら、それは流れる、清らかに、豊かに、強く、明るく。
　そして、感じ入った心を満たし、調えられた耳を従わせる。[☆50]

ジェゼッペ・バレッティはタッソの独占状態に反発し、イギリス人たちに、イタリアではダンテがはるかに偉大な詩人であること、そしてアリオストの評判はタッソのそれの下に隠されてきたことを理解させようと努めた。バレッティは『アミンタ』について評価しないわけではないが、むしろ『トッリズモンド』についてイギリス人たちの注意を喚起している。この作品はたしかに、演劇的な力としては、シェイクスピアの同国人に教示するものはほとんどもっていない。それは空虚な古典主義的図式のなかで硬直化しており、そこでは王女には典型的な乳母がついており、王の側にも同様に典型的な相談役がひかえている。また同時に、その主人公は四〇ページにおよぶ連続した独白をしなければならないであろう。[☆51]この戯曲は老いているとともに幼稚であり、いずれにせよ、エリザベス朝の二流の戯曲のどれにも比肩することはできない。

一七七五年にアリオストを翻訳したウィリアム・ハギンズは、バレッティから、タッソに比較してこの詩人への好みを受けつぎ、『エルサレム解放』の作者が、嫉妬にかられて、『狂えるオルランド』の諸ページを自分の歯でひきさく場面を表わした。ジョセフ・ウォートンは、『ポープの天才と著作について』(*Essay on the Genius and Writings of Pope*, 1756)においてタッソのことを、「イタリア語の一般に柔弱である非難にもかかわらず、彼の叙事詩がイタリア語を

支えた」として賞讃している。
一七五八年にエイブラハム・ポータルはオリンドとソフローニアの逸話を戯曲化したが、そのさいに彼は、劇場の支配人たちにしたがおうとはしなかった。彼らはたしかに、多くの場面に浸透している敬虔さのゆえに、この戯曲を非難したのであろう。ポータルがほどこした主な改変は、アラディーノ王の傍らに善良な老相談役、オルカーノ――のちにソフローナイアの父であることが明かされる――を置くこと、そして、アランディーノ王にソフローニアの美しさへの淫らな欲望をかきたたせることである。この戯曲は、それを読むことが念頭にあり、作者の意図では、「理性的で心地よい悦楽を書斎のなかに」提供することであり、「そこでは悪意ある流行が跳梁するわけではなく、男性たちが自然の情感から喜ぶように見えても、また真実の苦悩に心を痛めるように見えても恥じ入る必要はない」。
一七六一年にダブリンで、アイルランド人フィリップ・ドインの英語版『エルサレム解放』(*The Delivery of Jerusalem*)が、ミルトン的特徴をもつ無韻詩として現われたが、誤謬を免れることはできなかった。たとえば、第一六歌第二四節である。

ところでどの飾りをも凌いで、美しく締めている帯は
裸身を晒すときにも解かぬのを彼女は常としている。[鷲平訳]

この詩行は以下のように誤解されている。

その帯は
彼女の優美な腰に巻かれていた。そして、それが解かれると、
彼女は裸身を晒して、愛らしい好色者になった。

ドインは自らの翻訳に、ヘンリー・レイングのタッソ伝（『散文と韻文の作品集』［*Several Pieces in Prose and Verse*, 1748］に収録）と自身の『エルサレム解放』についての論考にもとづく序文を付している。そのなかでは、タッソはホメロスとウェルギリウス、そしてしばしばミルトン自身を凌駕すると主張されている。というのは、タッソの主題は異教の詩人たちの主題よりも高貴であり、「あらゆる種類の美徳を生みだす、至高の観念と卓越した情感」を提供するからである。加えてタッソは、「彼の英雄たちにわれわれを惹きつける魅惑的な手法」を具えており、われわれは復讐に燃えるアキレウスや、無節操な「敬虔な」アエネアスよりも、彼らを愛するようにうながされる。第三に、『エルサレム解放』は、『アエネイス』や『失楽園』よりも巧妙に結末まで導かれる。ドインがタッソのなかで非難すべきものとして見いだした唯一のものは、魔法の術への偏愛である。

レイングはタッソ伝のなかで、すでに一六二一年にG・G・マンゾが流布させた伝説を参照しつつ、タッソの不幸について詳しく述べ、心の硬い世界との衝突によって憔悴した詩人というタイプをつくりあげた。この人物像はのちに、ゲーテの戯曲（一八〇七年）とバイロンの『タッソの嘆き』（*Lament of Tassom*, 1817）によって不滅化されることになる。

一七六二年に匿名の「死者の対話」（'Dialogue of the Dead'）が現われ、そのなかではタッソとミルトンが自らの人生と作品について詳細に比較している。そのタイトルは『タッソ、対話。話し手、ジョン・ミルトン、トルクァート・タッソ。そのなかでは、新しい光が彼らの詩的・道徳的性格に投げかけられる』（*Il Tasso, a Dialogue: the Speakers John Milton, Torquato Tasso, In Which New Light is Thrown on their Poetical and Moral Characters*）である。このなかで二人の詩人は、争うことなくパルナッソスの頂を所有することを認めて結論とする。

同年に、リチャード・ハードの『騎士道とロマンスについて書簡』（*Letters on Chivalry and Romance*）が刊行され、そのなかでは、「ゴシック・ロマンス」の魅惑が賞讃されていた。ここでは、超自然的要素が、われわれ現代の偉大な詩人たちの幻想を「古典古代の物語作家のものよりも崇高に、恐怖をたたえ、不安を満ちるもの」にしていた。「ウェルギリウスの血を滴らせる銀梅花は、タッソの魔法にかけられた森と比較するとき、なにほどのものであろうか」。ハードによれば、心がわれわれに語っているのは、これらのゴシック的な虚言は、これらの詩人のもっとも偉大な魅力のひとつということである。

ハードによるタッソの賞讃は、一七六三年に日の目を見た、ジョン・フールに帰せられる『エルサレム解放』の新しい完全版への時宜を得た導入となることはできなかったであろう。フールはアリオストとタッソを時代の趣好にあわせて、ポープの『髪盗み』(*The Rape of the Lock*)をモデルとして、八音節詩を、短縮され、均整のとれた英雄叙事詩的二行連句に翻訳した。イタリア語原典よりもこの英語版に、ギボンが『ローマ帝国の衰退と滅亡』(*The Decline of Fall of the Roman Empire*, 1778)第七〇章で述べた讃辞はふさわしいであろう。たとえば、『エルサレム解放』の第一六歌第二三節の原典とフール訳は以下のとおりである。

その豊かに長い金髪は編んで纏めながら
艶かしい乱れ髪を優美なさまに結いあげると、
後れ毛を縮らせて巻き毛にして、そこかしこに、
黄金に鏤めた七宝さながらに、色とりどりの花を散らした。
そして美しい胸元には摘みとったばかりの薔薇の蕾を
生まれつきの白百合のその肌に添えて、そしてヴェールを整えた。[鷲平訳]

いまや、彼女は流れる髪を編んでひとつに纏め、
いまや、定まらぬ髪を上品にまとめて滑らかにした。
彼女の手によって、輝く巻き毛に分け目を入れて設え、

そして、波打つ黄金の髪を空色の花々で飾った。
彼女のヴェールは調えられた。甘美な薔薇とともに、
彼女は生まれつきの百合を、よい香りの胸に飾った。

フールの英語版はジョンソン博士のお墨つきを得た。彼はエリザベス女王にこの書物を、ボズウェルが優雅さの傑作とみなした献呈書簡を添えて推薦した。この書簡においては、タッソがエステ家の賞讃をおこなったがゆえに、女王の愛顧を受けることになる特別の権利が強調されていた。というのは、エステ家はハノーヴァー家と共通の祖先をもっていたからである。そして、タッソが「この著名な一族の子孫たちのあいだに、きわめて鷹揚で権勢のある庇護者を見だすことができた」、より幸福な時代に生を送らなかったことが嘆かれていた。[☆52]

フールの改訂版によって、ウォルター・スコットとロバート・サウジーなどの若者たちはタッソとアリオストを読んだ。サウジーに対して、『エルサレム解放』と『狂えるオルランド』は新しい世界を開いた。「私は、これらの詩を、その物語のゆえに、いつも新しい歓びを感じながら何度も、何度も読み通した。こうして、それらを少年のときから私の内部にもちこむことによって、この翻訳者は私に援助を惜しまなかったが、私が自らの知的な人生をかえりみるとき、そのことは評価してもし尽くせない」[☆53]。一七九二年に、フールは『リナルド』の英語版を刊行した。この英語版の前置きとなる「タッソ伝」において、フールは、タッソのレオノーラ・デステへの報われた愛について、そして、無慈悲なフェッラーラ公による彼の幽閉についての物語をくりかえしている。そして、この伝記のなかに、トマス・スタンリーの時代以降ではじめて、いくつかの抒情詩の英訳を挿入した。

一七六三年にグラスゴーで、イタリア語のテクストによる『エルサレム解放』の版が印刷された。一七八〇年に、バレッティはロンドン版の刊行を約束していたが、この計画は実行されなかった。ケンブリッチにおいて、アゴスティーノ・イゾーラが、文学的・歴史的注記を具えた英語版を刊行した。ほかの英語版がロンドンで、一七九六年（ナ

ルディーニとポリドーリによる）と一八〇八年（ゾッティによる）に現われた。一七九六年にリーズで、『アミンタ』が刊行された。一八〇三年に、ロレンツォ・ダ・ポンテは、『リナルド』の刊行を予告したが、その刊行物については知られていない。

一七七〇年にパーシヴァル・ストックデイルの翻訳した『アミンタ』が現われ、その序文において翻訳者は、ボワローとアディソンによってタッソに加えられた「金ピカの飾り」（clinquant）という非難から彼を擁護していた。これと同じ調子で書いていたのが、『悲劇についてのいくつかの考察』（*Cursory Remarks on Tragedy*, 1774）の著者（エドワード・テイラー、すなわちグラスゴー大学教授のウィリアム・リチャードソン）である。彼は、「タッソの作品のなかに、（古代の著作家は除いて）ほかのいかなる詩人におけるよりも優れた、情感と単純さの美の範例」を見いだし、イタリア語が「もっとも大胆でもっとも崇高なイメージに匹敵する活力と能力をもっていることを証明するために」サタンの記述を引用し、そして、タッソの「人物の性格の驚嘆すべき弁別」を讃嘆してやまない。

同じ著者は、『トッリズモンド』のコーラスの至高の詩と感情を揺さぶるプロットを、そして『アミンタ』の心の琴線に触れる純粋さを賞讃していた。ただし彼は、この戯曲のいくつかの情感は、田園劇としては洗練されすぎているように見えることを認めている。ストックデイルはこれらの情感について、正確には「田舎の生活に特徴的」ではないとしても、黄金時代とはよく似たものであると、そして、原初的生活のタッソ的理想化に歓びを見だすことができない者は「平安、無垢、美徳の感覚を失っている」と述べている。

ウィリアム・ヘイリーは、詩による『叙事詩について』（*Essay on Epic Poetry*, 1782）において、タッソを賞讃して、ボワローに対して彼を擁護している。

シオンのムーサは、虚しく嘆くこともなく、
情感に満ちた魂へと、彼の天上的な歌を導く。

恥じ入れ、ボワローよ、恥じ入れ、おまえよりはるかにうえの
天才を誹謗した、おまえの高慢さを償え。
そして、汝よ、傷つけられた偉大な吟遊詩人よ、汝の位置を、
叙事詩の半神たちのあいだに求めよ。……

ボワローの攻撃に対する擁護は、当時によく見られたテーマのひとつである。われわれはそれを、ウィリアム・パーソンズの『詩の旅行』（*Poetical Tour*, 1787）に見いだす。彼は「デッラ・クルスカンズ」［フィレンツェのクルスカ・アカデミーに因む］と呼ばれた、フィレンツェ在住のイギリス人たちのグループに属していた。

タッソとレオノーラの悲恋が、エロイーズとアベラールのそれと比較されるのもおそらく当然のことで、一八世紀にきわめて一般的になるのは不可避であった。実際、トマス・ウォーウィックの『アベラールからエロイーズへ』（*Abelard to Eloisa*）の第四版（一七八七年頃）においてわれわれは、レイングのタッソ伝から、そして文体上はポープの「エロイーズからアベラール」から想を得た、レオノーラからタッソへの空想上の書簡を見いだす。ポープのヒロインのように、レオノーラは、タッソが牢獄から脱出するのを助けることができず、彼女と詩人が愛しあった場所で、黄昏のなかを歩きまわることしかできない。タッソはすでにロマン主義的な色彩を帯びて、厳格で、当惑させる、エゴイズムに満ちた世界で孤立した理想的精神として表わされている。

フール訳の『エルサレム解放』は、一七九二年、一八〇二年、一八〇七年、そして一八一〇年に再刊された。ブルック・ブースバイ卿の『悲哀、ペネロペに捧ぐ』（*Sorrows, Sacred to Penelope*, 1796）においてわれわれは、クロリンダの死についての無韻詩の英語訳を見いだす。一七九九年頃にノリッジで上演され、刊行されたフランシス・ラートムの戯曲『オルランドとセラフィーナ、あるいは火葬用の薪の山』（*Orlando and Seraphina, or The Funeral Pile*）においてわれわれは、オリンドとソフローニアの逸話の改作を見いだす。ポータルによる別の戯曲において、善良な相談役のオルカーノが

オリンドの父であることが明らかになるが、一方、ラートムの戯曲においては、恋人たちの残酷な相談役で迫害者のイズメーノは、セラフィーナ、すなわちソフローニアの父であることが明らかになるのである。

レイングのタッソ伝よりも信頼しうるものが、一八一〇年にエディンバラでジョン・ブラックにより、四折版(クアルト)の二巻本として刊行された。ブラックは、ジョヴァンニ・マリオ・クレシンベーニ、ジロラモ・ティラボスキ、そしてピエラントニオ・セラッシの『トルクゥアート・タッソの生涯』(*Vita di Torquato Tasso*)を参照しており、その伝記のなかで、詩人のレオノーラとの愛をめぐる伝説の信憑性を否定し、詩人の投獄についても、ワインの飲酒に溺れ、雨のなかを歩きまわるタッソを肺炎から救うためにフェッラーラ公が思案した手段であると述べている。

タッソの詩句を引用することは、一八世紀の終わりには流行となっていたにちがいない。というのは、ラドクリフ夫人は、彼女の「ゴシック・ロマンス」のヒロインに、たとえば、『イタリア人』(*The Italian*)のエレーナの口に、また、シドニー・オーエンソン(のちのレディ・モーガン)は『聖ドミニクの修練者』(*Novice of Saint Dominick*, 1805)において恋人たちの口に、彼の詩をのぼらせているからである。一八一五年にウィリアム・ハズリットは、『エディンバラ・レヴュー』(*Edinburgh Review*)六月号に記載された、シモンド・ド・シズモンディ『南欧の文学』(*De la littérature du midi de l'Europe*)への有名な書評において、タッソよりもアリオストを評価しているが、とはいえ、タッソの詩句の一部には洗練された美が宿っていることを認めている。

アリオストにおける出来事はより精彩があり、登場人物はより現実味を帯び、言葉はより明瞭で、色調はより自然である。……タッソはより熟達した作家であり、アリオストはより偉大な天才である。……アリオストの精読からは、その背後にきわめて強い香りを残されるが、タッソにおいては味気なさが残され、それは直ちに色あせて、消えるものである。タッソはたしかに、われわれの眼前に、薔薇が添えられたメロンのデザートを置くが、それが供されるのは最初というわけではない。

ハズリットがとりわけ好んだ『エルサレム解放』の章句は、第一五歌第二〇節の「気高いカルタゴが横たわる。その名高き廃墟の数少ない痕跡が、海岸に残っている」であり、ここではより勇壮なタッソが現われている。一方、キーツは――『エンデュミオン』(*Endymion*)の詩人として期待されうるのであるが――魔法にかけられた森の光景に釘づけになっているように思われる。というのは、彼の「アポロンに寄せるオード」('Ode to Apollo')において、ホメロス、ウェルギリウス、ミルトン、シェイクスピア、スペンサーと並んでタッソの肖像を、次のように描いているからである。

次に、汝のタッソの情熱的な詩句は、
　心地よい空気にのって漂い、
若者たちを無為の眠りから目覚めさせ、
　悦楽の寝ぐらから彼らを起きあがらせる。
それから、彼の指は弦の上を優しく動き、
そして、魂を憐憫と愛へと溶けこませる。[☆54]

しかし、タッソについて語りながら即座にその名前が思い浮かぶ、イギリスのロマン派詩人はバイロンである。彼は『タッソの嘆き』のなかで、タッソの不幸な生涯の伝説を固定化し、その伝説を、バイロンのいくぶん様式化された修辞的独白よりも芸術的に高い価値を有する自らの作品のために、タッソから想を得たにちがいない者に伝えた。すなわち、ウジェーヌ・ドラクロワである。一八一七年にバイロンは、マントヴァではなくフェッラーラを通ってローマに赴いた。というのは、彼が述べているように、「私は、あの調子のよい剽窃者で悲惨な――彼の呪われた六歩格(ヘクサメーター)はハロー校で私を突き通した――追従者(ウェルギリウス)」の生誕地よりも、タッソが閉じこめられた独房を見たかった」からである。

バイロンは、一日だけ滞在したフィレンツェで、『タッソの嘆き』を書きあげ、出版者のジョン・マレーに送った。それは一八一七年六月に刊行された。バイロンはこの小詩に序言を置いて、そのなかで次のように述べている。「聖アンナ病院のタッソが閉じこめられた部屋は、アリオストの住居、あるいは記念碑よりも強い関心を抱かせる――少なくとも、それが私への効果であった」。バイロンにおいては常にそうであるように、彼のタッソ像は、バイロン自身の個性の一側面を表わす仮面でしかない。そのことは、『ダンテの予言』(*Prophecy of Dante*)におけるダンテにおいても同様である。

　　私は絶望には屈しない。
なぜなら、私の苦悩と闘ったのだから。
そして、わが牢獄の壁の狭い囲いから
飛び去るために、わが翼を設えたのだから。〔『タッソの嘆き』〕

このように歌う詩人は明らかにタッソよりもバイロンである。

この小詩は、注目すべき文学的な関心を呼び起こし、ロバート・ブラウニングとチャールズ・スウィンバーンの独白的抒情詩のモデルとなった。たとえば、『タッソの嘆き』第九節の頓呼法がそうである。

行け。語れ、おまえの兄弟に、私の心は、
悲嘆にも、歳月にも、疲労にも屈服しないことを――それが
彼が私に負わすであろう咎科かもしれないが――。

心が奈落とともに朽ちていく、
このような洞穴の、長く久しい汚染から、
それでもおまえを崇める。そしてつけくわえよ――彼の祝宴の、
饗宴の、舞踊の、酒宴の楽しい時間を護る、
塔と胸壁が忘れられるとき、
あるいは、退屈な平穏に棄てられるとき――
これが、これが、聖別された場所になるであろう。
しかし、おまえは――魔法によって〈生誕〉と〈美〉が、
おまえの周りに投げかけるものすべてが消えるとき――
わが墓を覆う月桂樹の半分を得るであろう。

以上の詩句は明らかに、スウィンバーンの『アナクトリア』（*Anactoria*）に反響している。

そうだ、おまえは流れたワインのように忘れられてしまうであろう、
私の唇がおまえの唇に重ねられたキスが
不滅性の焼印をそれに押さないかぎりは。しかし私には――
人々は火が輝くことを見ず、海の音を聞かず、
自分たちの心を音楽で満たすこともない。……
…………
しかし光と笑いの中で、そして呻き声のなかで

そして音楽のなかで……
私についての記憶と隠喩が混じりあうであろう。

タッソとサッフォーは、ロマン派の詩人に野放図な個性を承認させる口実を与えたのちに、背景へと退いた。この個性は、バイロンの場合には、ゲーテを深く印象づけたので、彼（ゲーテ）はバイロンをタッソと比較して、前者が後者を「精神、ヴィジョンの充実、創造的活力」によって凌駕することを見いだした。[☆55]「バイロンは燃える茨木で、レバノンの聖なる杉を灰燼に帰す。『ドン・ジョヴァンニ』の一節だけで、『エルサレム解放』全体を服させることができる」。

バイロンの死と同じ年、すなわち一八二四年に、ジェレミヤ・ホーム・ワイフェンによる、『エルサレム解放』の別の英語版が、スペンサー節の詩節によって刊行された。ワイフェンは小さな金物屋の息子のクエーカー教徒で、ベッドフォード公の司書であり、そして、「詩人の時間」（'Aeonian Hours'）と「ジュリア・アスピヌラ」（'Julia Aspinula'）という詩的作品の作者であり､そのことは英語版の表紙に載る彼の名前の下に記録されている。この英語版の一部（第四巻）は、すでに一八二一年にロンドンで、出版者ジョン・ウォーレンの下で現われていた。

この英語版は、それなりの価値があり、たしかに、フォスコロから「粗末な」と断定されたフールの英訳より優れており、「三美神」（'Grazie'）の詩人［フォスコロ］から詳細な書評を寄せられるという名誉を得た。この詩人はワイフェンのことを、彼の友人であった、ベッドフォード公の六番目の息子、ジョン・ラッセル卿を介して知っていた。フォスコロによる長い論考は、トマス・ロスコーによって英訳され、一八二六年一〇月の『ウェストミンスター・レヴュー』（*Westminstier Review*）において日の目を見たが､同年のワイフェンの第二版の刊行の機会にあわせたものであった。そのイタリア語の原典は現在、国定版フォスコロ全集の第一一巻に収められている（Firenze: Le Monnier, 1953）。

フォスコロは、ワイフェンの多くの欠陥を指摘してはいるが、彼のなかに、「凍りついた」フールをはるかに凌ぐ心と想像力を認めている。フォスコロのきわめて詳細な分析について（ワイフェンの功績はとりわけ、フォスコロにこのような機会を与えたことである）、ここでは一例を挙げるだけで十分であろう。『エルサレム解放』第四歌第三一節における、少女アルミーダの「熟しきらぬ瑞々しい乳房」（Le mamme acerbe e crude）は英訳では次のように変えられている。

葡萄がまさにワインへと熟成しているように熟れて、
彼女の胸は見る眼にも膨らんでいる。

フォスコロは次のように考察している。

　さて、ワイフェン氏は、自然が少なくとも、きわめて異なる二つの被造物の──本質的であれ、外面上であれ──唯一の類似性を表わしているのかどうか確認したのであろうか。それに加えて、この類似性の付加は、異質なものの連合に関して、著者［タッソ］が全力で女性の美について専心しようと努めている、快楽への純粋で不動の欲求を追い払っている。実際、彼はすべての詩節において、同一の対象に関して、想像力をかきたてて、それを燃えあがらせ、またそれを阻むように努めている。葡萄の房とワインは、祝宴のオードにおいては、アモルの仲間として置かれるべきものであったし、それらによって古代人も現代人もエピクロスの誕生日を祝うのが常である。……しかし、タッソのアルミーダはわれわれの眼前に、抗しがたい万能の美それ自体として導き入れられる。しかし、ワイフェン氏の忌むべき「熟した」（ripe）という言葉に対する罪は、許されるべきものである。たしかに、彼が自分の眼でしっかりと見るという規則に身を捧げなかったという理由だけで、彼に小言を言うのはわれわれの狭量さというものであろう。というのは、われわれはたまたま知っているのだが、彼は生ける自然の美の魔法にかかる危険には遭遇しなかったものの、カノーヴァ作の大理石による三美神の、「熟しきらぬ瑞々しい乳房」をもつ処女たちの三つの胸を眺めることができるという幸運を得て、それが彼の想像力に訴えかけたからである。

フォスコロはここで、上述したように、ワイフェンが司書を務めていた、ベッドフォード公のギャラリーに見いだされたカノーヴァの三美神の群像に言及している。この大理石製の群像は、一八二二年に刊行された豪華な二折版(フォリオ)に挿絵が掲載されており、この書物には、とりわけ「三美神へのギリシアの讃歌の断片」('Fragments of a Greek hymn to the Graces')、すなわち、まさにフォスコロの「三美神」が含まれている。☆56

ワイフェンの英語版はヴィクトリア朝においても再版されたが、一九世紀後半になると、衰亡したとは言えないまでも、タッソの運命はとくに際立った逸話を残すことがなくなった。ジョージ・エリオットが一八七六年に発表した『ダニエル・デロンダ』(*Daneil Deronda*)第五章におけるような対話が典型的である。グエンドリンは言う。「私はタッソに夢中なの」。それから彼女は、タッソとレオノーラの関係について語る。「タッソについては『エルサレム解放』以外はなにも知らないわ。それを私たちは学校で読んで、暗記したのだから」。これに対してアローポイント夫人は応える。「ああ、彼の人生は彼の詩よりも興味深いものです。私は彼の初期の人生を、一種の小説のようにみなしていました。彼の父親のベルナルドのことなどを考えると、ことさら真実にちがいありません」。

私は、今日のイギリスで、多くの者が『エルサレム解放』を読んでいるとは思っていない。たしかに、それは学校で読まれていないし、暗記されてもいない。現代のイギリス人著作家、とりわけ詩人においては、ダンテからの引用に遭遇することもまれではないが、われわれ「イタリア人」のほかの偉大な詩人については無言であることに慣れているので、私は、BBCのラジオ放送でタッソが議論の中心になることを『リスナー』(*Listener*)誌(一九五二年一月二四日号)に発見してとても驚いた。

イギリスの若い詩人でもっとも知られている一人であるノーマン・ニコルソンの『ミロム解放』(*Millom Delivered*)

において、彼はこう語っている。ダドン川の向こう岸から、ワーズワースが褒め讃えた湖水地方の湖畔で、ミロム製鉄所が、煙突から煙を吐きだし、船首が蒸気に包まれている戦艦のように屹立しているところを眺めると、彼は家へ帰ったものの、悪寒がしたので数日のあいだベッドに横たわっていた。そのあいだにタッソの詩、『エルサレム解放』を読んでいたが、ミロムとエルサレムが彼の心のなかでは混同されていた。そしてミロムは、タッソが「エルサレムは二つの丘の上に位置する」（第三歌第五五～五六節）と描写したものとして、エルサレムの相貌を帯びていた。そして、古い鉱山の荒れはてた大地は「草も生えない大地」として描写されているように思われた。

　こうして詩人は、想を得て、タッソの八行節詩（オッターヴァ）によって、ミロム製鉄所を描写し始めた。詩人は三つの詩節を作成した（最後の詩節では結末の二行詩節（カプレット）を欠いている）。これはタッソの八行詩節を再現しようとした現代イギリスの唯一の試みとして挙げることができる（ダンテの三韻句法（テルツァ・リーマ）は、エリオット、オーデン、アレン・テイトの詩句に見いだされる）。

この海岸は河口を支配している。ここに、
雌牛が草を食む緑、石灰岩の壁のあいだに、
私は灰色の、飲みこむ砂の向こうに目をこらす、そこを
町は自らの窓敷居からじっと見つめる。
その傾く屋根は陽の光とともに高くあり、その
基礎は聖なる丘の上にある。
その両足は岩に打った鋲（びょう）のように硬い。
その両腕は鉱滓（こうし）と船渠（せんきょ）を包みこむ。

砂漠が町の周りに横たわっている。歪んで、乾いて、

長く曲がりくねった砂利の砂丘、鉱石の破片、
灰の棚。沼は青く反射し、
胆汁のように酸っぱくなり、生木の柳を腐らせる。
砂の小片が吹いて、空を擦って光らせる、
そして、汚れた鼠の巣、口、耳を詰まらせる。
赤鉄鉱の赤いかさぶたが、通りと森を覆い、
そこでは人間の静脈が大地自体の血へと流れこむ。

海は粘つき、そして塩辛い。苦く、そして黒い、
泡の腫れものは、泥土の殴打によって消える。
半分閉まった貝は、岩に群がる。
大葉子と猿柳が栄え、水路の雑草が
表皮のように、裂け目と割れ目の上に広がる。
そして、沈泥の平らな四肢はひきはがされて、死ぬ。

「しかし、なぜ、とおまえは問いうるであろう」と詩人は述べる。「私がワーズワースと深く結びついた川の傍らに立っていたとき、なぜタッソを模倣しようとしたのか。私が『ダドン・ソネット』〔'Duddon Sonnets'〕を書いたとき、私が『プレリュード』〔'The Prelude'〕と『決意と独立』〔'Risolution and Independence'〕を書いたとき、なぜイタリアの叙事詩を引用したのであろうか。なぜなら、ヨハネ祭前夜〔六月二三日〕に、私は叙事詩を必要としていたからである。私はその情景を英雄叙事詩の情景として見ていた。私は『決意と独立』ではなく、『攻撃と勝利』を欲していた。か

くして、ゴッフレードは勝利せり（cosi vince Goffredo）」。

私はここで、いかに現代人が自然の光景のワーズワース的瞑想よりも、戦闘と征服の叙事詩的抑揚を身近に感じているのかを示したニコルソンの議論を、さらに紹介するつもりはない。しかし私は、詩人たちのなかでもっとも柔和で音楽的なタッソはまた、現代の苦悩の時代における詩人の眼には、エリオットが記したような「荒地」の歌い手という異例の衣服をまとって現われうることを指摘せずにはいられない。私が知るかぎり、今までの諸世紀のなかではじめて、タッソはこのような人物として現われた。別の証拠を挙げるならば、現代において、芸術家についての観点が、まさに革命を経験したのである。

（一九五二年［伊藤博明訳］）

ペトラルカとエンブレム作家たち

ヤン・ファン・デル・ノート『世俗の背徳の者たちが従う不都合と悲惨が明かされ、示される劇場』（*Theatre auquel sont exposés et monstrés les inconveniens et miseres qui suivent les mondains et vicieux*, 1568）の英語版『享楽的な俗人たちが従う悲惨と災難が表わされる劇場』（*A Theatre wherein be represented as wel the miseries and calamities that follow the vulptuous Worldlings*）において、ペトラルカのカンツォーネ「ある日、私は」（'Standomi un giorno'）が翻訳されて表わされていた。スタンツァの各々は、いわば分離されたエピグラムのようであった。そしてテクストには木版画が添えられていた。こうして、ペトラルカのカンツォーネがもっていた「エクフラシス」［絵画的描写］の特徴がそれによって強調されていた。そして、これらの特徴は『ギリシア詞華集』（*Anthologia graeca*）の描写的なエピグラムに近いものであった。一言でいえば、ここでは、エピグラムにとって根本的なものであるエンブレム的な性格が際立っていた。

その翻訳者は若きエドマンド・スペンサーであったが、彼の眼前にはイタリア語のテクストが置かれてはいなかった。彼の眼前にあったのはクレマン・マロのフランス語版であり、その「ペトラルカのヴィジョン」（'Des Visions de Petrarque'）から自らの「ペトラルカのヴィジョン」（'The Visions of Petrarch'）というタイトルを採り、それに手を加えて、彼の『瞑想』（*Complaints*）に再録した。そしてそこから、自らの「ヴィジョン」（visioni）、すなわち「時の破滅」（'The Ruines of Time'）と「この世の空しさのヴィジョン」（'Visions of the Worlds Vanitie'）の着想を得た。これらの「ヴィジョン」

はのちに図版がともなわれて現われることになる。

スペンサーの精神は、いまだに華やかな、宮廷風で騎士道的な中世にとどまっており、彼が見ていたペトラルカの側面とは、（詩の形式的特徴に惹きつけられた）後続する詩人たちと同様にインプレーサの創案家たちが強調したものである。すなわち、中世のアレゴリー主義が、オウィディウスの摸倣をとおして、そのアレクサンドリアの典拠まで遡る側面である。それは、道徳的かつ神学的真実の暗示によって際立っており、愛をめぐる題材について優雅なヴァリエーションを生みだすことに専心していた。

実際、ペトラルカの「エンブレム的な」最初のカンツォーネ「甘きときに」（'Nel dolce tempo'）の興趣はオウィディウス的である。恋に落ちた詩人の状態は、多くのページェントや凱旋式におけるように表現され、その各々がひとつの段階を描いている。それぞれの描写はひとつの変容である。あるいはむしろ、その描写は詩節（スタンツァ）の最後においてほのめかされるだけで、いわば、詩節と詩節のあいだのパントマイムのように想像しうるものである。ダプネの神話は詩人の状態の最初の暗示を提供している。

私は二人へと変容させられ、このようになる、
生きている人間が、緑の月桂樹に変えられ、
寒々しい季節に、一枚の葉も失わないものに。

それに続く詩節において、詩人の魂の状態は、自らの希望が潰えるのを経験して、パエトンの叔父［キュクノス］が白鳥に変身する神話にある象徴を見いだす。そして、彼が苦悩のゆえに白髪となり、叫び続ける嘆きは、死に瀕した白鳥の歌である。「私は白鳥の声となり、その色となる」。第三の情景において、愛する対象の中に真実を発見した詩人の運命は、メルクリウスによって石に変えられたバットゥスの神話の中に仄めかされる。こうして、ビュブリス

のように「一本の橅の下の泉」になり、エコーのように声を反響する硬い石になり、アクタイオンのように自分の猟犬――自分の思惟――に追われる牡鹿になる。最後の詩節において、想像力にあふれる眼前に、ユピテルによる、ダナエゆえの黄金の雲への、セメレゆえの炎への、ガニュメデスゆえの鷲への変容が浮かんでくる。

　それぞれの変容のテーマは常に詩節の最後に示される。「生きている人間が、緑の月桂樹に変えられ」。「私は白鳥の声となり、その色となる」。「生きているのに、恐怖で石になる人間のように」。「だれが泉に化した本当の人間のことを聞いたことがあろうか」。「私は硬い石と化し、かくして、凍りついた声は古い重荷にとどまる」。「私は一頭の孤独な牡鹿に変身し、この森からあの森へとさまよう……」。

　月桂樹、白鳥、石、泉、硬石、牡鹿。これらのイメージのひとつに依存している各々の詩節は、エンブレム的な喚起力の端緒を与えている。こうして、ペトラルカは、変身物語を道徳的に解釈した、自分自身の『教訓版オウィディウス』(*Ovide moralisé*)を執筆し、自らの情念の各々の段階をひとつの神話のなかに、ひとつのエンブレムのなかに表現した。そこに欠けているのは形象だけで、それは詩節と詩節のあいだの空隙に挿入されるであろう。

　カンツォーネ「いとも異様で珍奇なもの」('Qual più diversa e nova')において、ペトラルカがエンブレムの題材を求めたのは、もはやオウィディウスのなかではなく、中世の金石誌、動物誌、「驚異」集のなかである。そしてこの道を、のちにイギリスではジョン・リリーがたどった。カンツォーネ「甘きときに」においては、神話的イメージはほのめかされるだけで、詩行はひたすら恋する者の状態を述べるにとどまっていた。一方、「いとも珍奇で異様なもの」においては、象徴と情念は等しい部分として、全体のなかで分割され、詩行は、両者が逐一対応するように分解されている。詩人は自らの愛の法外さについてイメージを付与するために、次から次へと、外国の土地のきわめて珍奇で異様な事象を呼び起こす。すなわち、不死鳥、磁石、カトブレパス、太陽という泉、エペイロスの泉、フォルトゥーナーテ諸島の泉、というように。

　要するに、「ある日、私は」においては、あらゆる詩節が象徴の記述によって全面的に占められており、詩人の個人的事情への参照がほのめかされている。魅惑的な人間の顔をした野獣は二頭の猟犬によって死へと狩られる。絹の帆綱と黄金の帆をもつ象牙と黒檀でできた船は岩礁に乗りあげる。若々しい月桂樹は雷光によって折られる。清らかな泉は地震によって飲みこまれる。緋色と金色をまとった奇妙な不死鳥は嘴を自分自身へ向けて死ぬ。伝説上のエウリュディケは、暗い霧に包まれて、小さな蛇に噛まれる。こうして、同じようなエクフラシスがラウラの死を表わすために用いられる。『神曲』「煉獄篇」（第三二歌）における教会の戦車のアレゴリーのように、われわれは演劇的な所作に、また示唆的な無言劇に立ち会っており、そこにおいては、実際の意味を与えるためにさらなる注釈を必要とはしない。

詩人の想念（ファンタジーア）のもとで、「自然」全体は秘密の言語を話す。

私は幾度も目にした（誰が私のことを信じるというのだろうか）、
清らかな川のなかに、緑の草原の上に、
生きる女性を、そして、橅の切り株に、
白い雲のなかに。それゆえ、レダも、
太陽がその光線で星辰を隠すように、自分の娘の
眼色をなからしめる、と言うことだろう。（「想いから想いへ」［'Di pensiero in pensier'］）

言葉だけでなく、また事象も意味を担っている。中世の詩人たちが超感覚的な真実に関して諸事象に認めていた象徴的な力を、ペトラルカは人間の情念についても見いだした。リールのアラヌスは次のように語っていた。

この世界の被造物はすべて、

いわば書物や絵画のごときもの。
　またそれらは、われらを映す鏡。
われらが生の、われらが死の、
われらが地位の、われらが運命の、
　それらは忠実な表徴。

この世界のあらゆるもの、すべての被造物は、地上と天上のあいだの、われわれ人間の変遷を映しだす鏡であり、象徴である。ヒルシャウの修道院長コンラートは『ディダスカロン』(*Didascalon*)のなかで次のように書いている。「他の書字においては音だけが意味されるが、神的な書字においては音だけではなく、また事象も意味される」[☆1]。ペトラルカは、神聖なテクストの諸徳を、世俗のテクストへ、すなわちカンツォニエーレに移し変える。彼の『書簡集』(*Epistole*)第二巻では、次のように述べられている[☆2]。

　詩人たちは、魂にある神的な力をもち、
諸事象のなかでももっとも美しいものを、ヴェールで覆う。
そこには山猫(リュンクス)の視線だけが解きうる謎また謎が。

イメージをとおして語ることは、常に詩人たちに固有のものであった。しかし、ひとつのイメージによって、ひとつの神話によって、あちらこちらと流布され、ありふれた状態にいたろうとする現実の出来事をほのめかすこと、そして、この出来事をすべて、宗教的な祭儀と類似した神秘的な祭儀でとりかこむこと、ここにペトラルカ的エンブレムの始原がある[☆3]。

ペトラルカのこの道を意図的にたどった詩人は、モーリス・セーヴを措いてほかにはいない。彼は一五四四年に、自らの詩句の繊細な黄金のなかにインプレーサの宝石を嵌めこんだ。このインプレーサの主たる目的は、意図、希望、行動指針――すなわち、「企図する」［imprendere］あるいは「着手する」［intrapredere］ことを意味するもの――を、万人には明白ではない形態において表わすことであった。☆4 われわれのペトラルカ派においては、われわれが検討してきたようなイメージは常套句に堕してしまい、詩的議論という甘美な噴出においてさらに高まることはなかったが、セーヴはそれを、凝った装飾的カルトゥーシュを縁どる視覚的表象において結晶化させた。

われわれはすでに、カンツォーネ「甘きときに」においてペトラルカが、アクタイオンの宿命のなかに自らの宿命をほのめかしたのを見た。このオウィディウス的記憶は、イタリア、フランス、イギリスにおける模倣者たちのなかに溶けこんでいる。たとえば、テバルデーオのソネット第一三七番において、それはペトラルカには存在していた図像的な明瞭さをもはやもたず、ほかの誇張法とともに列挙された慣習的な誇張法と同じものとなっている。「パエトンのように私がポー川に墜落し、あるいは、ディアナを泉で見た者のように、私が牡鹿に変えられ、私の全身が犬によって傷つけられたのが真実であったならば、私がメドゥーサを眼前に見たのが真実であったならば……」。

セーヴは、彼のディザン［十行詩］第一六八番を、自らの猟犬によって追われるアクタイオンの形象から展開させて、その形象を、「運命は私の仲間によって私を追わせる」（Fortune par les miens me chasse）というモットーを具えたインプレーサに変容させ（図1）、そして、詩句においては、彼の魂の状態を描出する変容だけをほのめかしている。

私の思惑の中で君の神々しい名前が
記憶を通りすぎるそのたびごとに、
かくも甘美な感情に恍惚とした精神は
もっと楽しいもうひとつの生命へと移ってゆく。

そのとき、心は夢みるような幸福を推し測り、
肉体をいまにも柩のなかに送りこもうとする。
そしていかにもうまく魂のほうへ向かわせたものだから
心は自分自身から、そして肉体からも出てしまう。
　かくして、運命、幸福、あるいは身分が急変したひとは
仲間たちからも追い出されることになる。（加藤美雄訳）

ペトラルカ風のエクフラシスに真正な形象がとってかわり、潜在的なエンブレムは、標章のような神話的変容と、詩句に明示されたその道徳的適用をともなって現実のものに翻訳された。こうして、あるところでは（ディザン第九六番）、「いとも珍奇で異様なもの」の不死鳥は恋に囚われた詩人の詩と絶えざる再生のイメージを紡ぐが、それをセーヴは「死から生へ」（De mort à vie）というモットーを具えたエンブレムに高めている（図2）。また別のところ（ディザン第一四一番）では、ベンボにおいてはまったくの直喩であったもの（「向日葵が太陽に向いて常に回るように、私はあなたの周りを回る」）が、エンブレムに移し変えられている。それは、太陽に向かって回る向日葵で、モットーは「どこへでも私はあなたを追う」（Et tous lieux je te suis）である（図3）。

それに続くディザンは、愛する対象の現前と不在というテーマをめぐる変奏である。自分たちの図案化された旗を広げ、それを振りながら行進する、シエナのコンタード［地区］のチームのように、モーリス・セーヴのエピグラムは、「至高の愛の対象」（objet de plus houlte vertu）であるデリーに敬意を払い、五〇のインプレーサの旗手のもとに隊列を組む。そのインプレーサは、一角獣、天空、角灯、蒸留器、標的、不死鳥、バシリクス、孔雀などで、すなわち珍奇なもの、そして平凡で陳腐なもの、また形而上的な意味を担うものである。

セーヴは、ペトラルカとペトラルカ派のカンツォニエーレを精読することによってとりだした愛のインプレーサに

PAR LES MIENS
FORTVNE
CHASSE.

DE MORT A VIE.

図1——モーリス・セーヴ『デリー』エンブレム第一九番［ディザン第一六八番］リヨン 一五四四年

図2——モーリス・セーヴ『デリー』エンブレム第一一番［ディザン第九六番］リヨン 一五四四年

図3——モーリス・セーヴ『デリー』エンブレム第一六番［ディザン第一四一番］リヨン 一五四四年

図4——ヘインシウス
『愛のエンブレム集』　エンブレム第三番
アムステルダム　一六〇一年

図5——モーリス・セーヴ
『デリー』　インプレーサ第二三番［ディザン第二〇四番］
リヨン　一五四四年

図6——ギヨーム・ド・ラ・ペリエール
『良き術策の劇場』　エンブレム第七九番
パリ　一五三九年

MES PLEVRS MON FEV
DECELENT.

加えて、人文主義者ダニエル・ヘインス（ヘインシウス）が、一七世紀の初頭にアムステルダムでテオクリトゥス・アガンダの筆名で刊行した『愛のエンブレム集』（*Emblemata amatoria*）から多くの着想を得ている。

たとえば、ヘインシウスのエンブレム第三番（図4）をとりあげてみよう。そこでは小アモルが蒸留器の火をかきたてており、モットーは「わが涙はわが火を顕わにする」（Mes pleures mon feu decelent）で、ペトルス・スクリヴェリウスによるラテン語二行詩（ディスタッコ）をともなっている。これはモットーとともに、セーヴの、蒸留器を表わすインプレーサ第二三番［ディザン第二〇四番］（図5）の典拠となっている。モットーは異なるが、竈の火を吹いているアモルの図像をともなったこのインプレーサは、ギヨーム・ド・ラ・ペリエールの『良き術策の劇場』（*Theatre des bons engins*, 1539）にも見いだされ（図6）、それはペトラルカの影響を受けた抒情詩のもっとも一般的な綺想のひとつのエンブレムへの翻訳にほかならない。それは、セラフィーノ（「もし私が熱い炉の中に置かれたら」）からフランスの詩人たち――セーヴに加えて、マロ、ポンテュス・デュ・ティヤールなど――に受け継がれたもので、ペトラルカのバッラータ「あの火が」（'Quel fuco'）の機知をくりかえしただけである。

苦痛は一滴ずつ、閃光や好餌をもつ心から
両眼を通して流れでるがよいであろう。
だが苦痛は変わらずに、むしろ増大するように思える。
悲しい両眼から常に流れる波が
あの火を消し去ってしまわぬものなのか。
私が気づくのは遅かったが、〈愛〉は
私が相反する二つのあいだで衰弱するのを望んでいるのか。

ヘインシウスのエンブレム第四番（図7）に図解されている綺想もまたペトラルカ的である。そしてここでは、火のそばで溶ける蠟燭のイメージと、ペトラルカのソネット「優しい微風が」（'L'aura gentil'）の「はるかに我を苦しめ、近くで我を燃やしつつ」（ché da lunge mi struggo, e da presso ardo）の変形である、「近くで我を燃やし、はるかに我を苦しめ」（Ardo d'apresso e da longhi [sic] mi struggo）というモットーは、ハドリアヌス・ユニウスの『エンブレム集』（*Emblemata*, Antwerpen, 1565）からとられている（図8）。

ヘインシウスのエンブレム第六番（図9）は、炎の中のサラマンダーで、フランソワ一世のインプレーサであるが、しかし、「他者の死に、わが生に」（A autruy mort, à moy vie）という異なるモットーをともなっており、それはペトラルカのカンツォーネ「そう信じていたのに」（'Ben mi credea'）の綺想を反映している。

わが死で自らを養い、炎の中で生きる。
奇妙な食物、そして驚嘆すべきサラマンダー。

そして、その綺想はカリテーオの『詩集』第一〇六番に見られ、セーヴのディザン第九九番の「傷つかずに王の蛇は生きる」（Sans lesion le Serpent Royal vit）や、ほかの人びとに受け継がれた。恋する者と蠟燭で燃え尽きる蝶との類比は、少なくともシチリア派まで遡るものであるが（ジャコモ・ダ・レンティーノが用いている）、それをセーヴはインプレーサ第三一番［ディザン第二七六番］（図10）のテーマとして、「わが喜悦のなかに苦痛が」（En ma joye douleur）というモットーを付してとりいれている。

セーヴからではなく、ユニウスの蠟燭で燃え尽きる蚊（図11）から、ヘインシウスはテーマを採って（図12）、そこにペトラルカのカンツォーネ「そう信じていたのに」（'Ben mi credea'）の詩行「こうして貴い愛ゆえに、苦しみに耐え」（Così de ben amar porto tormento）を付加している。そのカンツォーネにおいては光に惹きつけられることが強調されている。

Proxima fax igni flagrat, atq; remota liqueſcit: Me procul ipſe liquat, me prope torret amor.
Ardo d'appreſſo, et da longhi mi ſtruggo.

ARDO DAPPRESSO ET DA
LONGI MI STRVGGO

図7――ヘインシウス
『愛のエンブレム集』エンブレム第四番
アムステルダム　一六〇一年

図8――ハドリアヌス・ユニウス
『エンブレム集』　第四〇番
アントウェルペン　一五六五年

図9――ヘインシウス
『愛のエンブレム集』　エンブレム第六番
アムステルダム　一六〇一年

図10————モーリス・セーヴ
『デリー』インプレーサ第三一番［ディザン第二七六番］
リヨン　一五四四年

図11————ハドリアヌス・ユニウス
『エンブレム集』第四九番
アントウェルペン　一五六五年

図12――ヘインシウス
『愛のエンブレム集』エンブレム第八番
アムステルダム　一六〇一年

図13――モーリス・セーヴ
『デリー』インプレーサ第五番［ディザン第四一番］
リヨン　一五四四年

「魂は……天使的な火花へと走りゆく」。「私は、蠟からできたごとく、火に近づく」。「私の安らぎは火と光であるが、私の精神は脆くて貪欲である」。「過剰な火から両眼を逸らすべきであろう」。しかし、ここにおいて、ペトラルカは直接的に蝶のイメージを喚起してはいない。セーヴは、同じカンツォーネからインプレーサ第五番［ディザン第四二番］の角灯（図13）をとりだし、「私はもはや隠しえず」（Celer ne le puis）という言葉を添えているが、それはペトラルカが次のように述べていたからである。

秘められた火はさらに熱くなる。さらに燃え盛れば、
どうあっても、私はもはや隠すことはできない。

そしてペトラルカ自身はまた、オウィディウスの『名婦の書簡』（*Heroides*）第一二巻（三七〜三八行）から着想を得ていた。

だれが愛をうまく隠せるというのか。
その炎が裏切り者を照らしだすというのに。

へインシウスのエンブレム第一五番（図14）の矢で射られた牡鹿もペトラルカ的であり、「はるかに強い苦痛が」（Et più dolsi）というモットーは、ペトラルカのソネット「甘い丘」（'I dolce colli'）から採られている。

矢で傷ついたあの牡鹿が、
脇腹に毒の塗られた鉄を入れたまま

図14――ヘインシウス『愛のエンブレム集』エンブレム第一五番
アムステルダム　一六〇一年

図15――モーリス・セーヴ『デリー』エンブレム第一八番［ディザン第一五九番］
リヨン　一五四四年

図16――ハドリアヌス・ユニウス
『エンブレム集』第四七番
アントウェルペン　一五六五年

図17――シピオーネ・バルガリ
『インプレーサ集』一八四ページ
ヴェネツィア　一五九四年

図18――ヘインシウス『愛のエンブレム集』エンブレム第一九番 アムステルダム 一六〇一年

図19――ギヨーム・ド・ラ・ペリエール『良き術策の劇場』エンブレム第一九番 パリ 一五三九年

逃げるが、急ぐほどに苦痛もさらに増す。

ペトラルカのこの詩行（ウェルギリウス『アエネイス』第四巻六九行以下に遡る）からセーヴは、「死を逃れようとして、私は最期を急きたてる」（Fuyant ma mort J'haste la fin）というモットーをともなったエンブレム第一八番［ディザン第一五九番］（図15）をとっていた。しかし、ヘインシウスの眼前にあったのは、傷ついた牡鹿という図像のためには、ユニウスのエンブレム第四七番（図16）――ペトラルカの同じソネットからとられた、「私は苦痛に苛まれ、逃げることも叶わず」（De duol mi struggo et di fuggir mi stanco）というモットーを有している――であり、そしてモットーのためには、シピオーネ・バルガリの『インプレーサ集』（*Imprese*, Venezia, 1594）に収められた、ドイツ人男爵ミヒャエル・タウフェルの牡鹿のインプレーサである（図17）。

小アモルが接ぎ木をしているエンブレム第一九番（図18）――すでにラ・ペリエール（図19）に見いだされる――も、ペトラルカのソネット「もしもあなたにできるなら」（'Se voi poteste'）に遡る。

アモルが最初の月桂樹（ラウロ）から多くの枝に
接ぎ木する、私の胸から。

次のエンブレム（図20）は、セーヴのインプレーサ第三三番［ディザン第二九四番］（図21）の図像である、罠の外で待ちかまえる猫が恐ろしくて罠からでることのできない鼠と、ペトラルカのソネット「苦痛が我を押しつぶし」（'Il mal preme'）の最初の行「苦痛が我を押しつぶし、さらなる苦痛が我を恐れさせる」（Il mal preme e mi spaventa il peggio）に由来する、ユニウスのエンブレム第三九番（図22）のモットーから採られている。ユニウスでは、鳥籠の中の鳩と、空中を舞う鷲の図像がともなっている。ヘインシウスのエンブレム第二一番（図23）もまた、ペトラルカの「親

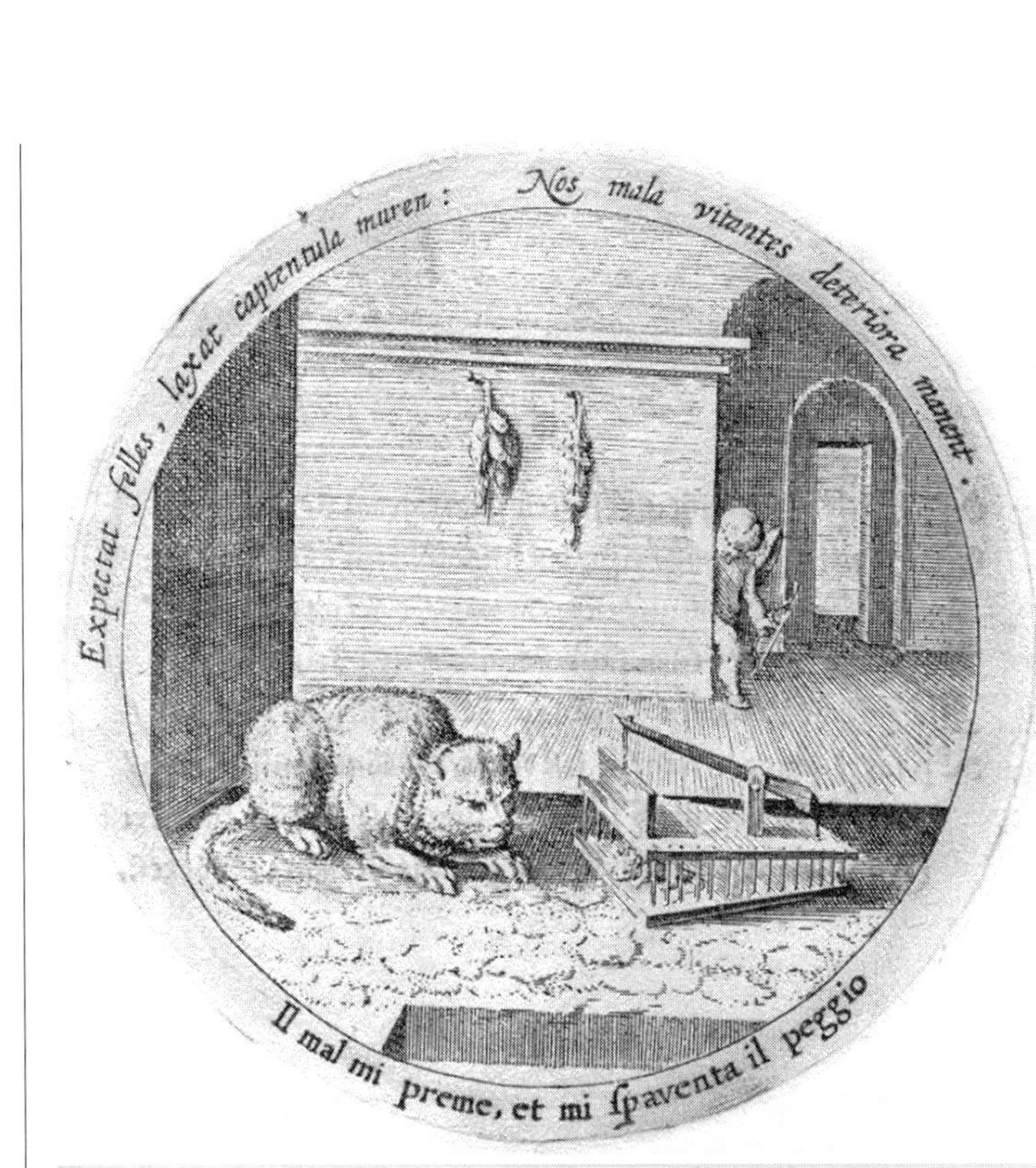

図20――ヘインシウス
『愛のエンブレム集』エンブレム第二〇番
アムステルダム　一六〇一年

図21――モーリス・セーヴ
『デリー』インプレーサ第三三番［ディザン第二九四番］
リヨン　一五四四年

図22——ハドリアヌス・ユニウス
『エンブレム集』第三九番
アントウェルペン　一五六五年

図23——ヘインシウス
『愛のエンブレム集』エンブレム第二一番
アムステルダム　一六〇一年

左ページ
図24——ポンペイ　ヴェッティの家
図25——ラファエッロ《小アモルたち》一五一八年〜一九年　ヴァティカン宮　ロッジャ

っている。

愛なるわが友よ」（'Signor mio caro'）の詩行「私自身で自らを縛ったがゆえに」（Perch'io stesso mi strinsi）からモットーをとり、自発的に鳥籠に入る小鳥のイメージをともなっている。

ヘインシウスによる愛のエンブレム集は、愛の綺想の成文化であった。ペトラルカと彼の介在者であるセーヴが主たる典拠であるが、しかし、ペトラルカについて語ることは、またプロヴァンスの詩人たちとラテン詩人たち、とりわけオウィディウスについて語ることであり、後者の測り知れない影響は、中世における、古代のエロティックな綺想の伝達を確証している。そして、オウィディウスをとおして、この連鎖はヘレニズムの伝統と結合していた。そして、ヘインシウスの小アモルたちは、ロードスのアポロニオスやモスコスの時代以来、古代の家屋の壁を飾っていたエロースたち（ἔρωτες）たちの正統な末裔と呼ぶことができたのである[☆5]（図24）。

それは、『アルゴナウティカ』（*Argonautica*）第三巻の射手クピドであり、人間と英雄にふさわしい強大な力を具えた、アレクサンドリアの詩人たちの有翼のプットーであり、彼はペトラルカが載せた凱旋車から降りてきて、人間のきわめて多様な情況にかかわりをもつ。愛のエンブレム集のはるかに有名な書物、オットー・ウェニウス――ローマでフェデリーコ・ツッカリのもと七年間修行を積んだライデン出身のオクタヴィウス・ファン・フェーン――の『愛のエンブレム集』（*Amorum Emblemata*, Antwerpen, 1608）の絵画的様式の着想源となったのは、古代の壁画の優美さと奇抜さを摸倣した近代の壁画、すなわち、ヴァティカン宮のロッジャの区画のひとつにラファエッロがフレスコで描いた小アモルたちである☆6（図25）。

ウェニウスの諸エンブレムは古典古代の作家たち、とりわけオウィディウスの章句をともなっているが、そのテーマはときおりペトラルカ的である。エンブレム第七七番（図26）が示しているのは、壁に寄りかかった愛する者が胸に標的をつけ、アモルが彼に矢を向けている情景であり、これはペトラルカの「アモルは私を矢の標的として置いた」（'Amor m'ha posto come segno a strale'）を想い起こさせるものである。それをルシェッリは、矢に貫かれた標的というアレッサンドロ・ファルネーゼ枢機卿のインプレーサ（図27）に関連して引用しているが、すでにパオロ・ジョーヴィオのインプレーサ集に見られる（図28）。

ウェニウスのエンブレム第二〇番（図29）では、アモルは手に四分儀をもって婦人の顔を見つめている一方、その側でコンパスの針が天の北極星を指している。これは、聖母マリアの崇拝である「アヴェ・マリア・ステッラ」（海の星よ）から着想を得たカンツォーネ集の広く流布した綺想に対応しており、そして、ペトラルカのカンツォーネ「わが宿命によりて」（'Poi che per mio destino'）において周知されている。

風の強さに疲れはて、
舵手は夜中に、われらが極に常にある
二つの光へと頭をあげるように、
私が耐える愛の嵐のなか、
輝く両眼が

わが目印、そして、ひたすらわが慰め。

そして、ペトラルカのソネット「この不死鳥」（'Questa fenice'）の「アモルの黙した燧石はそこから流れる繊細な火をひきだし、かくも寒い冬の日に私を燃えたたせる」に、ウェニウスのエンブレム第八〇番（図30）のモティーフは帰される。そこでは、アモルが鋼で燧石を打っているが、火口がないために火を熾すことができずにおり、これは凍りついた心をふたたび暖めようとしてもむだなことを示している。

一六世紀のインプレーサ作家たちは、ペトラルカの詩句のなかにこのような鉱床を見いだしたのであり、広範な文学のなかに含まれているペトラルカ的インプレーサを検証しようとすれば、長い論議が求められるであろう。たとえば、ルクルツィア・ゴンザーガは、自らを雷によって打たれ、裂かれた松の木として表現した。[☆7] モットーの「わが希望」（Il mio sperar）はペトラルカのカンツォーネ「甘きときに」の以下の詩句をほのめかしている。

わが希望は、あまりに高くを飛んでいたため、
雷に打たれて、死んで横たわっている。

ルシェッリは次のようにつけくわえている。「しかし、希望は彼のなかですべて潰えたのだから、同じように彼には欲望も抹殺するべきであったので、彼はすぐに別の二つの優雅なインプレーサを考案した。それらの一方はヒュドラであり、ペトラルカの詩句からのモットーがともなっていた。

そして私がそれを殺すと、より強くなって蘇る。

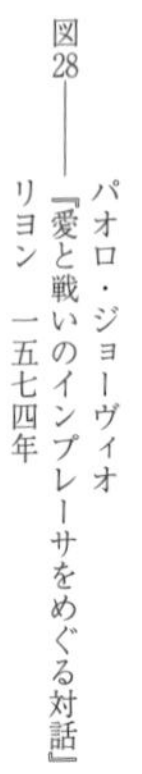

図26——オットー・ウェニウス
『愛のエンブレム集』　エンブレム第七七番
アントウェルペン　一六〇八年

図27——ルシェッリ
『著名なインプレーサ集』
ヴェネツィア　一五八四年

図28——パオロ・ジョーヴィオ
『愛と戦いのインプレーサをめぐる対話』
リヨン　一五七四年

図29――オットー・ウェニウス『愛のエンブレム集』エンブレム第二〇番 アントウェルペン 一六〇八年

図30――オットー・ウェニウス『愛のエンブレム集』エンブレム第八〇番 アントウェルペン 一六〇八年

他方は、二つの翼をさしだすアモルであり、モットーは次のとおりである。

　これらとともに。――

それもペトラルカの詩句の言葉である」。

そして、パラッツィは、彼の『インプレーサをめぐる談論』（*Discorsi sopra l'Imprese*, Bologna, 1575）の第三巻で、ペトラルカのカンツォーネ「いとも異様で珍奇なもの」の詩節からとりあげたインプレーサを記録している。そこではカトブレパについて描かれているが、インプレーサの作者による「その目を見さえしなければ」（Pur che gli occi non miri）というモットーはカトブレパよりも、むしろバシリスクにふさわしい。

インプレーサの規則のひとつは、それが「解釈のために巫女（シビュラ）を必要とするほど曖昧であってはならないが、また民衆がすべて理解しうるほど明瞭であってはならない」（パオロ・ジョーヴィオ）ことであった。学識ある者たちすべてが『カンツォニエーレ』に精通していたことで、ペトラルカはインプレーサ作家たちの理想的な著作家となった。

ルクレツィア・ゴンザーガのインプレーサは、首に首飾りをつけた白い牝鹿で、そのそばの月桂樹には「誰もわれに触れるなかれ」（Nessun mi tocchi）というモットーが載っており（図31）、このインプレーサのなかに、ペトラルカのソネット「草の上の純白の牝鹿」（'Una candida cerva sopra l'erba'）の図示的表現を認めるのは容易なことである。ここにおいて月桂樹（ラウロ）は「太陽と諸学の神と考えられた」アポロンに捧げられた樹木を、それゆえ、「その名誉とその純潔を保持するために、神によって認められた知性の光」の象徴を意味しようとしていた。[☆8]

ビジニャーノの王女イレーネ・カストリオータのインプレーサ（図32）の出自がペトラルカかどうかはあまり明瞭ではない。[☆9]このインプレーサは鷲で、両眼を太陽にしっかりと向けており、「私に真の悦ばしい栄光を与えることができるもの」（Che mi può far di vera gloria lieta）というモットーをともなっている。しかしこの宮廷人が、次の詩句のなかに、

図31――パラッツィ『インプレーサをめぐる談論』ボローニャ　一五七五年

図32――ルシェッリ『著名なインプレーサ集』ヴェネツィア　一五八四年

ペトラルカ風の優美なヴァリアントを見ることはなかったであろう。

　汝の両眼を、鷲のごとく、太陽の方へ向けよ。
　それは汝を永遠の栄光にふさわしい者にすることができるであろう。

　トンマーゾ・コスタは、自らのインプレーサとして、太陽をじっと見つめる、壺の側に身を横たえる老人――泉の伝統的な擬人像――を採用し（図33）、「我は不在に燃え、現前に凍える」（Ardo in absenza, e'n sua presenza agghiaccio）というモットーを加えている。[☆10] 一六世紀の人びとは容易に、その泉のなかに、ペトラルカがカンツォーネ「いとも異様で珍奇なもの」で述べていた、太陽という名の泉を認め、また、モットーのなかに、「私は遠くで燃え、近くで凍える」（Arder da lunge, ed agghiacciar da presso）を認めたであろう。ペトラルカの『カンツォニエーレ』は万人の口の端にのぼっていたので、一行の詩句で隣接した詩句を想い起こさせるに十分であったし、少し変更されていても、不完全でもそれと認識することができた。

　ルドヴィーコ・ドメニキは『戦いと愛のインプレーサをめぐる論議』（*Ragionameto nel quale si parla d'Imprese d'armi et d'amore*）において、彼の友人でパヴィーア出身の紳士について語っている。[☆11] すなわち、この紳士は、きわめて明敏な精神をもった貴婦人の前に現われ、自分が愛のゆえにおちいっている悲惨な状態を理解させるために仮面をつけ、係留索もなしに沖合にいる船を描いた。そして傍らには、ペトラルカの詩句である「私は舵なしに沖合にいる」（Mi trovo in alto mar senza governo）が見られる。彼が、この女性と会話を交わしたあとで、彼女にインプレーサの根拠を明らかにすると、彼女は深く考えることもなしに、次に続く詩句が彼にはよりふさわしいであろうと言った。「もし知ることが容易ならば、誤りは大きい。私自身、何を欲しているのかわからない。私は真夏に凍え、冬に燃える」。

　騎士ゴイトのインプレーサは一人の巡礼者だけで（図34）、それにともなうモットーも「などなど」（Et cetera）だけ

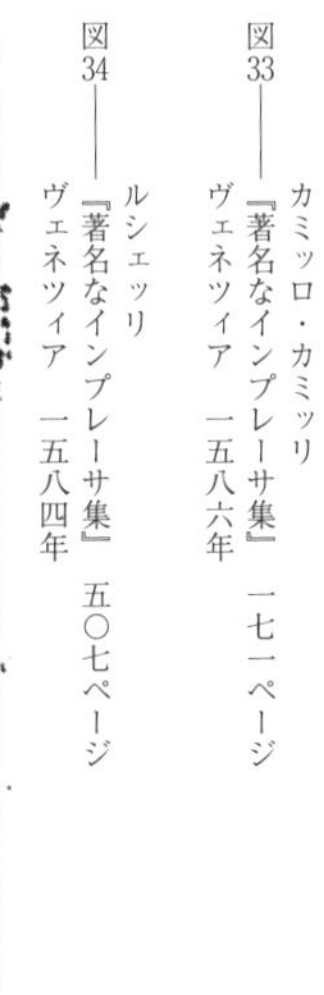
図33——カミッロ・カミッリ『著名なインプレーサ集』一七一ページ　ヴェネツィア　一五八六年

図34——ルシェッリ『著名なインプレーサ集』五〇七ページ　ヴェネツィア　一五八四年

からあなたは知ることができる」。すなわち、ペトラルカのソネット「ようやく私は知った」('Ben sapeva io') からである。[☆12] つまりは、「私はあなたに私の想いの実質だけをほのめかした。そのほかのことは、ペトラルカの続く詩句

私はおまえの手を逃れようと、旅する、
風、天空、波に揺さぶられながら。
私の前を見知らぬ巡礼が通った。……
そのとき、どこからか知らぬが、おまえの主人たちが
私にわが宿命を示すためにくる、
それに抗っても、それから身を潜めてもむだだ。

ルシェッリが述べるには、「おそらく……事情はこうである。すなわち、彼はすでにこの女性に、彼女から逃れて、解放されたいと語っていたが、彼にはそれが可能ではなかった」。

一六世紀のインプレーサの考案者たちは、ペトラルカのなかの彼らの「聖父」を見ていた。そして、ラウラという名前をめぐってペトラルカがおこなった、寓意的な意味の遊びを引用し、この女性が、金色、緋色、白色、青色からなる豪奢で高貴なものを渇望する彼らの眼前に現われるソネットを賞讃し、そして、不死鳥のプリニウス的描写の高邁なパラフレーズである、「黄金の羽根をもつ不死鳥……」において、ラウラの

図35——『英雄的・道徳的ドゥヴィーズ集』
クロード・パラダン
二〇四ページ　リヨン　一五五七年

墓の上の、月桂樹の葉と十字架という（その記念碑よりも後代の）インプレーサを、「純粋な信仰が勝利者」（Victrix casta fides）というモットーとともに引用していた[☆13]（図35）。そしてついには、ペトラルカ自身が『カンツォニエーレ』の三つの詩句をモットーとして用いた、三つの真性のインプレーサを考案したと、彼らは想像していた[☆14]。ところで、ペトラルカに最初のエンブレム作家であったという功績を帰するために、このような伝説は必要であったのだろうか。

（一九四三年［伊藤博明訳］）

イギリスのエンブレム文学

ヨーロッパの古い図書館、とりわけ教会が起源となっている図書館には、いまではほとんど参照されない、あるいはおざなりにしか参照されない膨大な量の挿絵入りの書物、すなわちエンブレム文学が眠っている。「エンブレム」はあらゆる古書店の目録には常に挙げられている項目であるが、私が想像するには、ほとんどの書物愛好家は、「アメリカ物（アメリカーナ）」「好色物（エロティカ）」「オカルト物（オカルティズム）」に対するのと同じような――実際に軽蔑とは言わないまでも――無関心の態度で、読みとばしてしまう。

この「エンブレム」という魔術的な言葉を見て目を輝かせる少数の者にとっても、彼らの注目は切手や煙草箱を蒐集することに示されるものと同じであろう。というのも、彼らの関心は珍奇な事物の物質的な所有を超えることはほとんどないからである。事実、彼らは書物をモロッコ革ですっかり包み、その縁に金箔をのせ、扉の内側に押印をほどこして豪華に製本させるが、それらを読むことが彼らの関心事であるとは思われない。そしておそらく、彼らが扉より先へと進もうとしないのは、きわめて望ましいことなのである。というのは、一般に年老いた紳士、田舎の郷士や聖職者、退職したインドの官吏が、実際にこの珍奇な書物を読もうと試みるならば、その書物の内容が彼らの脳内に入りこみ、そして彼らはおそらく、きわめて驚くべき想念を抱くことになり、その結果、完全な沈黙よりもひどい悪評を不運な書物に投げつけることになるであろうから。

たとえば、シェイクスピアの研究者は、一八七〇年にヘンリー・グリーン氏によって刊行された『シェイクスピアとエンブレム作家たち』（*Shakespeare and the Emblem Writers*）という大著を見たことがあるかもしれない。彼はエンブレム・ブックに長らく親しんでいたので、この経験は有益に利用されて然るべきものであったが、残念ながらグリーン氏はこの著作で、放恣な示唆を推し進めるばかりか、また、彼が検証に腐心している文献学的な細部においてさえ誤って記述している。

エンブレム文学はこのような忘却に委ねられるべきものであろうか。それはたんに過ぎ去った時代の逸脱した趣好の記録としてしか研究する価値がないのであろうか。それについての知識は、古（いにしえ）のテクストの註釈家を助けるだけなのであろうか。たしかに、エリザベス朝の人びとがエンブレムについてよく知っており、その結果、自らの著作においてしばしばそれらに言及していることを示す豊富な証拠が存在している。ジョン・リリー、ロバート・グリーン、トマス・ナッシュ、ベン・ジョンソンなどの文章は、実例によって引用できるであろう。スペンサーは実際にエンブレムを、「この世の空しさのヴィジョン」（'Visions of the Worlds Vanitie'）、「時の廃墟」（'Ruines of Time'）、『羊飼いの暦』（*Shepheards Calendar*）のなかで描いている。劇作家のトマス・ヘイウッドは、ヤーコプ・カッツのエンブレムのいくつかを英訳した。チャップマンは「深遠で奇抜なヒエログリフ」を愉しんだ。そして、トマス・ブラウン卿は、エンブレム作家たちの空想をめぐって少なからず思いをめぐらした。

ここで私は、エンブレム文学について簡潔な概観をおこない、イギリスのエンブレム・ブックについて語ることに進むまえに、註釈家たちはエンブレム・ブックに精通していることによって利得を得る、という例をひとつ披露させていただきたい。[☆1]また、私がこの例を、L・E・カストナーとH・B・チャールトンが編纂し、マンチェスター大学出版会から刊行された『ウィリアム・アレグザンダー卿の詩集』（*The Poetical Works of Sir William Alexander*）から採りあげたからといって、読者の方々から不公平に思われないことを望む[☆2]［当時プラーツは、マンチェスター大学で講じていた］。

この著作の註記で示された深い学識になにかをつけくわえることは困難であろう。しかしながら、アレグザンダー卿の表現のいくつかをエンブレムに帰するさいに、博学な註釈者たちは、アルチャートが標準的なエンブレム作品であるとしても、イギリスではジェフリー・ホイットニーの『エンブレム選集』（*Choice of Emblems*）におけるその翻案が受容されていたことに気づかなかったように思われる。

たとえば、もし注釈者たちがホイットニーに眼をとめていたならば、アレグザンダー卿による、ある高慢な司祭と「イシスの驢馬」との比較（『詩集』第二巻、二二三ページ、一六九〇行）をアルチャートのエンブレム第七番（図1）に帰する必要はなかったであろう。彼らはそこで、「アレグザンダー卿が見たにちがいない版を含むいくつかのアルチャートの版においては、その詩句のあとに『司祭は無知であろうと汚れていようと尊敬される……』という言葉が続いている」と説明している。一方、ホイットニー『エンブレム選集』（八ページ〔図2〕）には、次の詩行をともなった同一のエンブレムが見いだされる。

善き牧人は……

……………

彼らは人間ではあるが、神の言葉を教示するので
われわれは彼らを尊ぶ。……

……………

だが、もし彼らの高慢さによって自分自身を忘れ、
その誉れが自分自身に属すると思いこみ、
誰の椅子に腰をおろしているのか意に介さないならば、
イシス神を背に載せている驢馬を眺めさせなさい。
　この驢馬は人びとが自分を崇めていると思いこみ、

Non tibi, ſed religioni.　　XXXV.

Iſidis effigiem tardus geſtabat aſellus,
　Pando uerenda dorſo habens myſteria.
Obuius ergo Deam quiſquis reuerenter adorat,
　Piáſq; genibus concipit flexis preces.
Aſt aſinus tantum præſtari credit honorem
　Sibi, & intumeſcit admodùm ſuperbiens,
Donec eum flagris compeſcens dixit agaſo,
　Non es Deus tu aſelle, ſed Deum uehis.

図1——アルチャート『エンブレム集』八六ページ　一五四六年　パリ

Non tibi, sed Religioni.

Cæcus amor prolis.

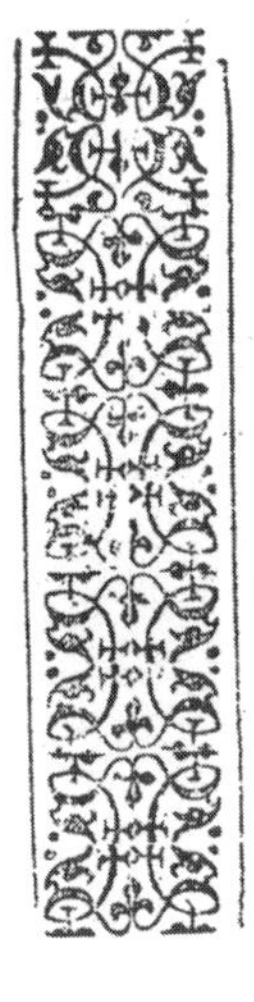

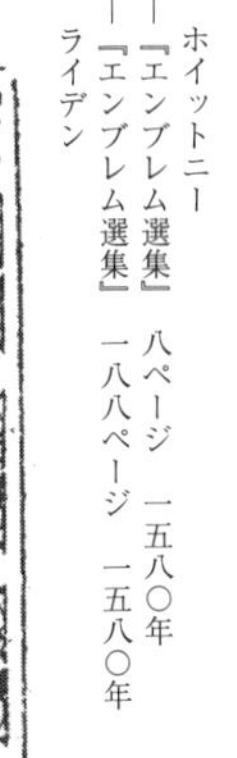

図2――ホイットニー
『エンブレム選集』 八ページ 一五八〇年
図3――『エンブレム選集』 一八八ページ 一五八〇年
ライデン

鞭打たれるまで、その場にうずくまり続ける。

この詩句と比べつつ、アレグザンダーの直喩を読むことにしよう。

司祭の中には、愚かな高慢にとり憑かれた者がいて、
（崇められているのは背負ったイシスであることに気づかない驢馬のように）
己れの才能を過大に評価してしまい、
あげくの果てに理性が許す以上の欲望を抱いてしまう。

ホイットニーがアレグザンダーの典拠であることは、三一二ページ、六五二行での示唆から明らかである。それはまた『曙』（*Aurora*）のソネット第七五番にも現われている。

愛情から殺してしまう気ままな猿のように、
　私が思うには、やがて彼らの愛情もあの猿たちと
同じ轍を踏むにちがいない。
親の愛情という力強い感情を証そうとして、
しばしば、子どもたちを死にいたるまで抱きしめる。

この主たる典拠は、註釈において指摘されているように、もちろんプリニウスである。しかしアレグザンダーの直接の典拠は、ホイットニーの、猿の「子どもへの盲目的愛」（Caecus amor prolis）である（一八八ページ［図3］）。

見よ。好意ゆえに猿は自分の子どもを殺す、
腕の中で揺すり、きつく抱きしめることによって。……

これは見るからに貧相な詩句である。そして、もしエンブレム文学がこれより優れたものを有していないのであれば、多くの者たちは、それが無視されても、忘れ去られた図書館の棚に安らいで埃をかぶっていても当然であると結論するように導かれるであろう。残念ながら、エンブレム文学は、めったに高い文学的標準には達することはないようである。しかし、このことが、エンブレム文学を煉獄へと追放するのに十分に適当な理由であるとしても、それは、学識に満ちた文学の場合にしばしば生じることである。そして、われわれのほとんどは、自分の書斎を三冊か四冊の紛れもない傑作だけに制限した場合に感じるように、二流で卑小な作家をすべて見境もなく断罪することを受け容れることがないことも、おそらく確実であろう。

われわれは、風変わりな――まったく重要ではない――テクストを編纂するという愉悦を自ら進んで放棄するとでも言うのであろうか。そして、もしウィリアム・アレグザンダー卿の作品が再刊されるべき権利をもっているならば、ホイットニー、ジョージ・ウィザー、ロバート・ファーレイ、そしてもちろん、実際にわれわれの記憶から消えることはけっしてなかったフランシス・クォールズについてはどうであろうか。そして、私がエンブレム文学についての現代の無知をめぐって次に例証しようと思うのは、クォールズに関するものである。

T・O・ビーチクロフトが『ダブリン・レヴュー』の一九三一年一月号に寄稿した、注目すべき論考「クォールズ――とエンブレム的習慣」(T.O. Beachcroft, 'Quarles — and the Emblem Habit,' *Dublin Review*, 188, January 1931, pp.88-96) は、エンブレム文学へのきわめてかぎられた知識を示している――結局このことに驚くべきではないのは、エンブレム・ブックが今日では容易に参照できず、その歴史についても今日まで真面目に研究されてこなかったがゆえである――だ

けではなく、また次のような尋常とは思えない言明を含んでいる。「オランダ人アルキアトゥス、あらゆるエンブレム作家のなかでもっとも有名な者」。これは、いかにアルチャートが有名と思われていても、ビーチクロフト氏級の学者が国籍をまちがえるように、彼はさほど有名ではないことを明らかにしている。☆3

エンブレム文学の著名な父、アルチャートはイタリア人である。この文学の流行を興したのは、一五三一年にアウクスブルクで初めて印刷された『エンブレムの書』(*Emblematum Liber*)であったが、この新しいジャンルの創出を彼に帰することはほとんどできない。エンブレムの初期の歴史は、ルートヴィヒ・フォルクマンの『ルネサンスの図像文字』(Ludwig Volkman, *Bildersbriften der Renaissance*, Leipzig, 1923)によってとりあつかわれたが、ここで彼の結論をくりかえすことは紙幅のせいで許されない。彼の観点はどちらかというと一面的である。というのは、彼は、エンブレムのなかに、当時誤って理解されていたような、エジプトのヒエログリフの近代における対応物を与えようとする人文主義的な企図を見ているからである。疑いもなく、一五〇五年のホラポッロの『ヒエログリフ集』(*Hieroglyphica*)のアルドゥス版によって、その知識が広まったヒエログリフは、エンブレムの流行に決定的な影響を与えたが、しかし、アルチャートの主たる霊感の源は『ギリシア詞華集』(*Anthologia Graeca*)であった。

『エンブレムの書』の二一二のエンブレムのうち、四四はギリシア語のエピグラムそのままの翻訳である。アルチャートは各々のエピグラムに図像をつけくわえること以外はなにもおこなっていない。そして、図像もまた元来のエピグラムによって想定されていたことなので、アルチャートのエンブレムと、『プラヌデス詞華集』(*Anthologia Planudea*)[『パラディン詞華集』とともに『ギリシア詞華集』を構成する]に由来するギリシア語のエピグラムとの唯一の相違は、名称の相違なのである。アルチャートの定義によれば、エンブレムとは正確にエピグラムの対応物である。

彼は「ユスティアヌス学説彙纂」の註解である『言葉の表示作用について』(*De Verborum Significatione*)において次のように述べている。「言葉は表示し、事物は表示される。しかしまた、ホルスとカエレモンのヒエログリフのように、事物もときには表示する。われわれは、この考えにもとづき『エンブレム集』(*Emblemata*)と題する詩句による小冊子を作成した」。したがって、エンブレムは観念、あるいは綺想を指示する事物（対象の表象）であり、エピグラムは諸対象――たとえば美術作品、奉献品、墓――を指示する言葉、すなわち綺想である。それゆえ、二つのものは相互補完的であり、そして、ギリシアのエピグラムの多くは彫像のために書かれているので、名称を別にすれば、エンブレムの必要条件をすべて具えている。

この名称は、アルチャートによってはじめて、このような種類の構成のために用いられた。彼はそれを、ギヨーム・ビュデの『ユスティアヌス学説彙纂註解』（*Annotationes ad Pandectas*）から採ったが、そこでは「モザイク作品」が意味されていた。この意味で、フランチェスコ・コロンナは、自作の『ポリーフィロの愛の戦いの夢』（*Hypenerotmachia Polyphili*）において「エンブレマトゥーラ」（embelmatura）という言葉を使用しており、この作品はエンブレムの起源と流行にかんして多大な影響を与えたのである。

エンブレムとエピグラムは、同一の「技巧の戯れ」（technopaegnion）の二つの異なる観点を表わしている。そして、「エンブレム」という言葉が含意している図像的な観点――エピグラムが含意している文学的観点の対応物――は、アルチャートによって、エジプトのヒエログリフの影響のもとに採用されたのである。こうして、エンブレムは古代のアレクサンドリアが創出したものであり、それは、ルネサンスに流布するようになったヒエログリフの解釈がアレクサンドリア的であったのと同様の仕方においてであった。

あらゆるメタファーは潜在的なエンブレムであるので、なぜエンブレム文学が、直喩と綺想への趣好が頂点を極めた世紀、すなわち一七世紀にとりわけ隆盛したのかを理解するのは容易である。一七世紀の人びとは、諸感覚の証拠を渇望しながら、メタファーという純粋に霊的な観照にとどまることはできなかった。彼らはそれを外的に表象する必要性を感じとり、それをヒエログリフやエンブレムへと投影し、言葉を図像で支えようとした。しかしここで、エンブレムとエピグラムと綺想の相互的関係について論じるのは、私の意図ではない。

『ギリシア詞華集』から採られたひとつの例として、アルチャートの「愛の力」（Vis Amoris）についてのエンブレムを引くことができるであろう。その図像は、雷電を折っている小さな神を表わしている（図4）。

有翼の神は有翼の雷電を粉砕した。
こうしてアモルは火が火より強いことを示している。

これは次の『ギリシア詞華集』のエピグラムの翻訳である。

有翼のエロースが、いかに有翼の雷電を粉砕し、
火より強い火であることを示すのかを見よ。

このエンブレムは愛のエンブレムのグループ（一〇五番以下）のひとつである。後述するように、それらはアルチャートによってしばしば摸倣されることになった。私が先に引用したエンブレムのタイプはたしかに単純なものである。しかし、ヒエログリフから影響を受けたエンブレムはより神秘的な概観を示しており、中世のアレゴリーのひとつを想い起こさせる。当然のことながら、中世のアレゴリーもまた古代アレクサンドリアの起源へと遡る。後者のクラスの例として、私はサンブクスによるエンブレムのひとつを挙げたい。彼はハンガリーの医師で歴史家であり、アルチャートの範に倣って、一五六四年に自らの『エンブレム集』（*Emblemata*）を、アントウェルペンの有名な出版社プランタンから刊行した。

このエンブレムのタイトルは「自然学と形而上学の差異」（Physicae et Metaphysicae Differentia）であり、その図像では、〈自然〉が、有翼の右手を挙げ、左手で有機的自然の象徴である紋章風の薔薇を下げる、エペソスのディアナの姿で示されている（図5）。〈自然〉の右側には、雲のあいだにアストロラーベ［渾天儀］を冠した聖堂が浮かび、左側に

は地球儀をクーポラに戴いた円形の礼拝堂が見える。その詩句は以下のとおりである。

あの像は汝に示すだろう、右側の鷲の手によって、
　空中に、神を予見する神殿を。
別の部分は重く、元素的で、儚い。
　ウェスタの神殿は、汝にとって大地である。

エンブレム文学の歴史は、大部分は書誌に帰するであろう。というのは、図像とテーマそれら自体は――われわれの精神とは言わなくとも――われわれの眼を愉しませるためにくりかえし現われるからである。アルチャートの著作が一五三四年にパリで、一五四六年にヴェネツィアでアルドゥスから、一五五一年にリヨンでボヌムから再版されていることを述べるだけで十分であろう。後者の版が注目されて然るべきなのは、それが装飾家と版画家のためのパターンの書物として明確に意図されているからである（図6）。そして、この目的のために、各々の図像は、個別的に異なる意匠の枠によって囲まれている。アルチャートの書物は一五〇以上もの多くの版が刊行され、さまざまな言語に翻訳され、ディジョンの法律家のクロード・ミニョーに負う散文の註解によって豊かにされた。一〇〇〇ページにもおよぶ、もっとも浩瀚な版は、一六二一年にパドヴァで刊行された。

エンブレムの流行はまもなくフランスに広まり、そこではほとんど同時期に、ギヨーム・ド・ラ・ペリエールの『良き術策の劇場』（*Le Théâtre des bons engins*, 1539）と学識ある本屋ジル・コロゼの『エカトングラフィー』（*Hécatmgraphie*, 1540）が、どちらもドニ・ジャノーによって刊行された。フランスはまたエンブレムの最初の宗教的な利用を、ジェオルジェット・ド・モントネの『キリスト教的エンブレム集、すなわちドゥヴィーズ集』（*Emblème ou devises chrestiennes*, Lyons, 1571）において閲した。宗教的なプロパガンダのためのエンブレムの利用は、一七世紀のイエズス会文学のひとつの特徴と

VIS AMORIS

Aligerum fulmen fregit deus aliger, igne
Dum demonstrat uti est fortior ignis amor.

Physicæ ac Metaphysicæ differentia.

図4——アルチャート『エンブレムの書』　D7葉裏　一五三一年
アウクスブルク

図5——サンブクス『エンブレム集』　七四ページ　一五六四年
アントウェルペン

図6——アルチャート『エンブレム集』　一三ページ　一五五一年
リヨン

DEVS, SIVE RELIGIO. 13

Non tibi, ſed Religioni.

Iſidis effigiem tardus geſtabat aſellus,
Pando uerenda dorſo habens myſteria.
Obuius ergo Deam quiſquis reuerenter adorat,
Piáſque genibus concipit flexis preces,
Aſt aſinus tantum præſtari credit honorem
Sibi, & intumeſcit admodùm ſuperbiens:
Donec eum flagris compeſcens dixit agaſo,
Non es Deus tu (aſelle) ſed Deum uehis.

なった。

私はサンブクスの書物について述べたが、ここで初期のエンブレム作家の中に、有名なオランダの医師、ハドリアヌス・ユニウスの名前を加えたい。彼の『エンブレム集』（*Emblemata*）は一五六五年にプランタンから刊行されている。最初の英語によるエンブレム・ブックはジェフリー・ホイットニーによって編纂され、一五八六年にライデンのプランタンから刊行された。その『エンブレム選集』（*A Choice of Emblems*）というタイトル自体が、この書物の特色を表わしている。すなわち、ホイットニーの蒐集は、アルチャート、ラ・ペリエール、ユニウスによる大陸のエンブレム、そしてパラダンのドゥヴィーズ（インプレーサ）のアンソロジーである。

「インプレーサ」（imprese）はエンブレムに類似したジャンルで、フランスとイタリアにおいて、とりわけ一六世紀において発展した。現在のわれわれにとっては、どちらかというと些細なものと見えるこの創案が、イタリアでは数多くの論考を生みだすことになり、アカデミーで真剣に議論された。インプレーサ、すなわちドゥヴィーズは、相互に解釈しあうモットーと図像による、目的や願望や行動指針の象徴的な表象である（それは、文字どおりには「企図」[imprendere]しようとすることである）。インプレーサは最初、フランスの軍事上の指導者たちによって用いられ、一五世紀末のフランス軍のイタリアへの侵入の時代に、イタリアで一般的に評判を得るようになった――それはすでに、ポリツィアーノやマルカントニオ・エピクロのような宮廷詩人にとっては馴染みのものであったが。

インプレーサについての基本的な著作は、パオロ・ジョーヴィオによって書かれ、ローマで一五五五年に刊行された『戦いと愛のインプレーサについての対話』（*Dialogo delle Imprese militari e amorose*）である。インプレーサはその構成において、エンブレムよりも厳格な規則をもっている。ジョーヴィオによれば、完全なインプレーサは五つの条件を満たさなければならなかった。第一に、インプレーサの身体――すなわち図像――と魂――すなわちモットー――とのあいだには適正な均斉がなければならない。第二に、インプレーサはその解釈のために巫女（シビュラ）を必要とするほど曖昧であってはならないが、また民衆がすべて理解しうるほど明瞭であってはならない。第三に、インプレーサはとりわけ

図7――パオロ・ジョーヴィオ『戦いと愛のインプレーサについての対話』 二六ページ 一五七四年 リヨン

美しい外観を呈しなければならない。すなわち、星辰、火、水、葉の茂った樹木、器具、奇妙な動物と空想的な鳥のように、視覚に喜悦をもたらしうるものでなければならない。第四に、インプレーサは人間の形姿を表わしてはならない。第五に、インプレーサは、身体の魂であるモットーを必要とするが、モットーは、その作者の情感が隠されるように、一般的には作者の母語とは異なる言語によって作成されねばならない。モットーは簡潔でなければならないが、曖昧で不明瞭であってはならない。

完全なインプレーサの例として、ジョーヴィオはルイ一二世のインプレーサをしばしば引いている（図7）。それは、豪猪（やまあらし）を表わしており、それにともなう文言は、古代の博物誌家たちが豪猪の棘に帰した特徴に関する、クラウディアヌスの章句に由来する「近くから遠くから」（Cominus et eminus）である。イタリアにおいて、インプレーサ作成の技法は学問の地位を与えられ、大仰にも「騎士の哲学」（filosofia del cavaliere）と呼ばれた。インプレーサがもっとも流行していたときに、それがどのようにみなされていたかを理解するために、私はル・モワーヌ神父の『ドゥヴィーズの技法について』（*De l'Art des Devises*, Paris, 1666）における言葉を引用することにしよう。

> それ［ドゥヴィーズ］はひとつの詩、だが、なにも歌わず、黙した形象と視覚に語りかける言葉からのみ成る詩である。驚異であるのは、この音楽を欠いた詩が、別の詩が長い期間をかけ、協和、虚構、術策によって念入りに準備してはじめてなしうることを、形象と言葉によって果たすことである。

インプレーサは簡潔な詩とみなされ、そして真珠やダイヤモンドのような「自然」のとても小さな傑作と比べられた。そこにおいては、最小の空間のなかに最大の価値が見いだされるのである。トルクァート・タッソのような偉大な著作家さえも、インプレーサの特質についてきわめて熱心に論じた。ジョーヴィオの著作に続くものとして、ガブリエッロ・シメオーニの『英雄的・道徳的インプレーサ集』（*Imprese eroiche e morali*, Lyon,1559）とクロード・パラダンの『英雄的ドゥヴィーズ集』（*Devises heroique*, Lyon, 1551）に触れなくてはならない。私が話題にしていたジェフリー・ホイットニーもまた、これらのインプレーサ集、とりわけパラダンのインプレーサ集から自らのエンブレムを採っていた。

ジョーヴィオの『戦いと愛のインプレーサについての対話』は、サミュエル・ダニエルによって英訳され、『インプレーサと呼ばれる、戦いと愛の類いまれな創意についての論議を含む、パウルス・ヨヴィウスの価値ある論考』（*The worth tract of Paulus Iovius, containing a Discourse of rare inventions, both militarie and amorous, called Imprese*）と題して、一五八五年にロンドンで刊行された。この書物には図版は含まれていない。実際――私はすぐにつけくわえるべきであるが――エンブレムとインプレーサに対する趣好はイギリスにおいて広まっていたけれども、この種類の書物の生産にとって、木版画と銅版画の技術が海峡のこちら側では初歩的な段階にあったがゆえに、いくつもの障害が存在していた。

イギリスのエンブレム作家たちは、自らの著作に図版を掲載することができなかったのであり、それはダニエルの翻訳、エイブラハム・フラーンスの『イタリアではインプレーサと呼ばれている、印章、紋章、エンブレム、ヒエリグリフ、シュンボルムの解説』（*Insignium, Armorum, Emblematum, Hieroglyphicorum, et Symbolorum, quae ab Italia Imprese nominantur, Explicatito*, London, 1588）、アンドリュー・ウィレットの『聖なるエンブレム集百選』（*Sacrorum Emblematum Ceturia Una*, Cambridge, 1588?）の場合にあてはまる。

あるいは、図版のために郷土の芸術家（この名称がすでに、その貧弱な技巧に対して過剰な讃辞のように思われる）を登用したが、彼らは大陸製の挿絵を粗雑に摸倣し、きわめてまれに新しい挿絵を創ろうとした。それはヘンリー・ピーチャムの『ブリタニアのミネルウァ』（*Minerva Britanna*, London, 1612）、ヘンリー・グッドヤー卿に帰せられる『主権の鏡』（*The Mirrour of Maiestie*, London, 1618）、ロバート・ファーレイの『人生の暦』（*Kalendarium humanae vitae*, London, 1638）と『リュクノカウシア』（*Lychnocausia*, London, 1638）、クォールズの『エンブレム集』（*Emblems*）、アンリ・エティエンヌの論考のトマス・ブラウントによる翻訳『ディヴァイスを作成する技法』（*The Art of Making Devices*, London, 1646）の場合にあてはまる。

そして最後に、大陸の書物と同じ図版を利用したものもある。ホイットニーの場合がそれにあてはまり、彼の著作は実際には大陸で印刷されて、その典拠の図版を挿絵としている。また、ジョージ・ウィザーは、自らの『エンブレム集成』（*Collection of Emblemes*, London 1635）において、ローレンハーゲン〔『精選されたエンブレムの核心』〕の図版を利用している。

イギリスのエンブレム・ブックが稀少であることは、ピーチャムが『ブリテンのミネルウァ』（一六一二年）の序文に書いていることが証している。

ホイットニー師の集成、そしてほかの一人か二人の翻訳を別にすれば、現代のイギリス人で、この種類の作品を刊行した人を私は知りません——彼らは（私は疑いませんが）、フランス人やイタリア人と同様に創意においては才智があり巧妙なのですが。それゆえ、おそらくフランス人やイタリア人はわれわれのことを「山の向こうの単純な人びと」（Tramontani Sempii）、単純で愚鈍な観念の持ち主と呼ぶのでしょう。この欠陥は気候のせいでもなく、彼らが主張するように、われわれの身体の特質のせいでもなく、ただわれわれのあいだにおける、一般的に学問と技芸に対する冷淡さと無関心のせいなのです。このイギリスでは、価値のある性質について正しく評価することができないのです。

ときおり、英語のテクストが外国で出版されたエンブレム・ブックに補充された。この種類のものでもっとも興味深い書物は、オットー・ウェニウスの『愛のエンブレム集』（*Amorum Emblemata*, Antwerpen, 1608）である。上述したように、愛のエンブレムの流行はアルチャートのいくつかのエンブレムに端を発する。しかし、愛の叙情詩の伝統的な綺想にインプレーサをともなわせた詩篇（canzoniere）を最初に創出したのは、モーリス・セーヴの『デリー』（*Délie*, 1544）である。しかしながら、オランダがその流行の中心となり、人文主義者ダニエル・ヘインス（ヘインシウス）の『愛のエンブレム集』（*Emblemata amatoria*）、ヤーコプ・カッツの『愛のエンブレム集』（*Emblemata amatoria*）、『クピドの王座』（*Thronus Cupidinis*）、そしてなによりもウェニウスの『愛のエンブレム集』を生みだした。

それらでは、オウィディウスを初めとするローマの官能的な詩人たち、そしてペトラルカに由来するメタファーが、図像的な表象へと翻訳されている。愛のエンブレムが実際に使用されたのは、恋人たちのあいだの贈りものにおいてであり、それらは、ルネサンスを通してアカデミーと「教養のある会話」（civili conversazioni）の学識に満ちた悦びであった、愛の諸問題のかなり小さな百科辞典となっていた。モットーとともに詩句は、より広い市場を狙って、いくつもの言語によって供されていた。ウェニウスのエンブレム集は、ラテン語、フランス語、そしてまた、イタリア語、オランダ語、英語のテクストをともなう、さまざまな多国語版として現われた。

英語のテクストをともなった『愛のエンブレム集』は、「学芸と騎士のパトロンにして、もっとも崇敬され、誉れ高い兄弟である、ペンブルック伯ウィリアムとモンゴメリー伯フィリップに」献じられた。一六〇一年よりペンブルック伯であったウィリアム・ハーバートは、確固とした証拠があるわけではないが、ある人びとによって、シェイクスピアの『ソネット集』（*Sonnets*）が捧げられた「W・H氏」と同一視されてきた。ジョン・ヘミングズとヘンリー・コンデルが［シェイクスピアの作品集の］最初の二折本（フォリオ）を献じたのは、このウィリアムと、彼の弟である、ペンブルックおよびモンゴメリー伯であったフィリップであった。

ところで、シェイクスピアの最初の一七のソネット（もちろん、『ソネット集』［*Sonnets*］は一六〇九年になってようやく刊行された）が、ある人物にたいして、結婚して子をなすように勧めていることは記憶されているであろう。ここで、ウェニウスのエンブレム集の冒頭に置かれている詩行、すなわち「クピドの若者への書簡」（Cupids epistle to the younger sorte）が同様な勧誘を含んでいることは指摘するに値する。

> 彼は新しく生まれて、自らを子どもたちのなかに見る。
> 彼らは再び、さらにさらに増え続けて、
> こうして愛は、死すべき人間に大きな贈りものを与える。
> すなわち、人間を不死なるものにし、彼は永遠に生きる。
> ひとりきりで生きる人間を、私は不幸な者と呼ぼう。……
> …………
> そして、世界が生きるための果実をもたらさない者は、
> 子どもたちが両親に与える誉れをも欠いている。

これに対応するフランス語のテクストは次のとおり。

君は、君の子どもたちという生きるメダルのなかに
自らが再生するのを見ることはない。
ひとりで歩む者は、なんと不幸なことか。……
…………
なんという喜びか。君の息子が君に誉れを与えるならば、
君が君の白髪の父に子どもをもたらして。……

これらはシェイクスピア自身も見下すことのなかった常套句である。

自然が君を刻印用につくったのは、たくさんの
複製が欲しいからだ。原型のまま死なすためではない。（『ソネット集』第一一番〔高松雄一訳、以下同〕）

でも人に忘れられる生き方がいいのなら、ひとりで
死になさい。それなら、その面ざしも一緒にしにたえます。（同第三番）

……ひとりは無に終わる。（同第八番）

……愛する者よ、ご存じのとおり、
君には父上がいた。息子にそう言わせてやりなさい。（同第一三番）

「クピドの若者への書簡」の英語のテクストは次のように続いている。

おまえがいつも「否」と言うならば、おまえになんの益があろう。
時がおまえの意固地な意志を、易々と追いこすとき、
そして、おまえの薔薇の赤と百合の白を消えさせ、
そして、おまえの瑞々しい桃の頬と珊瑚の唇を
青白く希薄に見えるように、弱め衰えさせるとき、
おまえの綺麗に巻いた、美しく波打った髪が
灰色に変わり、あるいはすべて抜け落ちるとき、
おまえの顔に、額に皺が広がるとき。……

それに対応するフランス語テクストは次のとおり。

おまえの拒否からおまえはどんな果実を摘もうというのか。
過ぎゆく時がおまえの傲慢な心の翼を切り詰め、
おまえの美しい頬の、薔薇と混じった百合が突然しぼみ、
おまえの額には、深い皺が広がって、
おまえの髪は白くなって美しさを失うのに。
そして、おまえの珊瑚のような赤い唇は青ざめ、

変容が、おまえの敵は時であるとおまえに教えるであろう。
おまえは、空しく待ち続けたことを後悔するだけだ。……

これと同じテーマはシェイクスピアのソネット第二番で採りあげられている。

四〇年の歳月がむらがりよせ、君の顔を包囲して、
その美しい戦場に深い塹壕を掘ってしまえば、
いま、みんなが見とれているきらびやかな青春の装いも、
いま値打のないぼろ服同然としか見てもらえなくなる。
そうなってから、あなたの美はいったいどこにあるのか。……

またソネット第一二番と第一六番でも採りあげられている。

盛りを過ぎ去った菫（すみれ）の花を眺め、
黒い巻毛がことごとく白銀に覆われるのを見るとき、
…………
そんなときに、私は君の美しさを思い、こう考える。
君も、時の荒廃から逃れるわけにはいかない。
…………
時の神が君をこの世から引きさらってゆくときに、

彼の大鎌を防ぎ立ち向かうのは、子孫しかいない、と。
…………
時という、残虐な暴君との戦い。……

同様に、シェイクスピアのソネット第四番の「利益のあがらぬ高利貸」の直喩に対応する表現が、「クピドの若者への書簡」のぎこちないフランス語テクスト（Cupidon à la Ieunesse）に見いだされる（英語テクストでは高利貸のかわりに守銭奴について語られている）。

〈愛〉によっておまえの若さは堂々と開花する。
私がいなければ、この美はおまえにとってなんの役にもたたないだろう。
それはちょうど、高利貸が貯めこむ財宝や、
大地の中に隠れている美しいダイヤモンドと同じだ。

私はこれらの章句の比較によって、どちらかが実際に摸倣したと示唆するつもりはない。ただ、エンブレム・ブックのような傍流の文学についての知識が、われわれにとって、一人の天才によって扱われたいくつかのテーマがいかに流布していたかを理解する一助になるということを示唆したかったのである。

私は、とりわけ愛のエンブレムが国際的に広まったことを述べた。このことの適切な例を、一七世紀の終わりにさまざまな国において現われた、ある集成が提供している。この書物は四四のエンブレムを含み、四つの言語によるエピグラムをともなっている。図版は先行するエンブレム・ブック、とりわけ『クピドの王座』（*Thronus Cupidinis*）、ウェニウス、そしてヘインシウスから採られている。ラテン語の詩句はウェニウスと『クピドの王座』と同じであり、

イタリア語の詩句もまたウェニウスから採られている。ただし、テーマが異なるためにウェニウスの詩句を適用することが不可能であるのが明白な、数少ない場合にかぎって、韻律と構文に悲惨な欠陥があるがゆえに、明らかにイタリア人ではない者の手によって補われている。フランス語、ドイツ語、英語、オランダ語の詩句は、私が確証しうるかぎりでは、ほかの書物には現われていない。

図版は典拠となるエンブレム・ブックの図版のきわめて粗雑な摸倣である。一見したところ、すべてのなかでももっとも粗雑なのは、英語版の図版であるように思われる。そのタイトルは『愛のエンブレム集……四つの言語において、淑女たちに献じられた、フィリップ・エアズ氏による』(*Emblemata Amatoria, Emblems of Love, Emblemi d'Amore, Emblems d'Amour, In four languages, Dedicated to the Ladys, by Ph. Ayres Esq.*, London, 1683)である(いくつかの版が刊行されている)。セインツベリ教授は、『チャールズ一世時代の二流詩人たち』(*Minor Caroline Poets*)のなかに英語の詩句を再録しており、この小著が、きわめて愉しく、きわめておもしろいと考えているが、しかし彼は、愛のエンブレムに関するほかの書物が存在することに気づかなかった。これは、私が本稿の冒頭で引いた事例に加えるべきもうひとつの事例である。

オランダ語の詩句をともなった版である『愛のエンブレム集……』(*Emblemata Amatoria, Emblemes d'Amour, en Quatre Langue (sic.), a Londe chez l'Amoureux, s.d.*)の図版は、英語版の図版と一致しているが、より巧みな技術と、エアズの図版ではまったく欠けていた遠近感を示している。オランダ語版の扉絵とエンブレム第三〇番から第四〇番までには、ヤン・ファン・フィアネンと署名されている。このオランダ人の版画家は一六六〇年に生まれ、早くにイギリスに渡っている。もしわれわれの前に、英語版(図8)とオランダ語版(図9)だけを置いてみるならば、前者が後者の劣悪な摸倣であると説明する強い誘惑にかられる。しかし、ここでは詳述できないが、それらの典拠(図10)と比較するならば、明らかに英語版の図版がオリジナルからの直接的な摸倣であり、一方オランダ版はオリジナルから、軽度ではあるが印象的な細部において逸脱していることを示すことができる。

一六九五年にアウクスブルクで『愛の勝利』(*Triumphus Amoris*)として刊行されたドイツ語版(図11)は、明白に、ファン・

フィアネンに拠っている。このように、英語版の優位性が確立されたならば、上述したぎこちないイタリア語の詩句を、英語の詩句の作者、すなわちフィリップ・エアズに帰すことが十分にできるであろう。というのは、彼は自著『叙情詩集——イタリア詩に倣って作成された』（*Lyric Poems, Made in Imitation of the Italians*, 1687）において、イタリアのマリーノ派（marinisti）の翻訳者としてトマス・スタンリーとエドワード・シェバーンの衣鉢を継いだイタリア語の教師であり、貴族の家庭教師として糊口を凌いでいたからである。

イギリスで評判をとった唯一のエンブレム・ブックはクォールズのものである。彼の『エンブレム集』（*Emblemes*）は一六三五年にロンドンで初版が刊行され、数多くの版が続いて現われ、同時代人だけではなく、また続く諸世紀のあいだ、ポープやエリザベス・バレットのような著名な作家たちによって賞讃された。『エンブレム集』はバレットの子ども時代のお気に入りの本であった。クォールズの詩句は、エンブレム作家たちの詩句のなかでも（オランダのエンブレム作家たちの詩句を除いて）、批評家たちの関心を惹いてきた唯一のものである。しかしながら彼らは、イエズス会士ヘルマン・フーゴによる名高いエンブレム・ブック、『敬虔な欲望』（*Pia Desideria*）の英訳者であるエドマンド・アールウォーカーが、当然のごとく見逃さなかった事実を知らなかったか、あるいは見落としていたように思われる。その事実とは、すなわち、クォールズの最後の三巻の図版は『敬虔な欲望』から採られたということである。

そして、クォールズの負債はこれにとどまらない。彼の最初の二巻は、別のイエズス会のエンブレム・ブック、『世界像』（*Typus Mundi*）の図版を再現しており、この著作からイギリスの詩人は、各々のエンブレムにともなう、より長い詩に続いてエピグラムを置くという示唆を受けた。最後に、批評家たちの眼を逃れたと思われるのは、クォールズの詩はしばしば、彼の典拠となる詩句で開陳されているテーマの変奏であるということである。クォールズは自らの模範よりもはるかに形而上学的であったが、模範がなにか絵画的なメタファーを用いるときには、必ずそれらに追従した。たとえば、『世界像』の第八番のエンブレム（図12）のラテン語とフランス語の詩句は次のとおりである。

図８―――エアズ『愛のエンブレム集』 第一六番 一六八三年 ロンドン
図９―――フィアネン『愛のエンブレム集』 第一四番 刊行年不明 ロンドン
図10―――『クピドの王座』 第一六番 一六一八年 アムステルダム
図11―――『愛の勝利』 第一四番 一六九五年 アウクスブルク

図12——『世界像』第八番　一六二七年　アントウェルペン

図13——クォールズ『エンブレム集』第一巻第八番　一六三五年

もし邪悪なタランチュラが笑いながら即座に殺すならば、
あの甘美なものは害悪をおよぼし、より確実に殺すであろう。［ラテン語］

もしタランチュラがおまえの皮膚のすぐ上で、
その恐ろしい鼻面で甘くくすぐるならば、
おまえは笑いを浮かべながら死んでいく。これが不実な世界の
誤った快楽だ。なぜなら、笑いが死なのだから。［フランス語］

クォールズ（図13）はこの直喩を次の詩句で利用している。

われわれは、誤って喜ぶ愚者で、災厄のなかで勝ち誇ることができる。
そして、不注意な巡礼者がタランチュラによって
咬まれ、生命を終わらせる笑いの痙攣を
始めるように、われわれの吐息を快楽に
惜しみなく使い、笑いながら死を迎える。

われわれはまた、第三巻の第八番のエンブレム（図14）に添えられている詩句をそれに対応する『敬虔な欲望』第一巻第八番のエンブレム（図15）と比較することにしよう。このエンブレムは、『エレミヤ書』の一節、「私の頭が水になり、私の両眼が涙の泉になればよいのに。そうすれば、私は昼も夜も泣き叫ぶことができる」から想を得て、このメタファーを文字どおりに表わしている。水が噴きだし、そのなかで魂を象徴する少女が涙にくれている幻想的な

図14――クォールズ『エンブレム集』第三巻第八番　一六三五年
ロンドン

図15――フーゴ『敬虔な欲望』第一巻第八番　一六二四年　アントウェルペン

光景を映しだしている。この敬虔という一七世紀の一般的なテーマは、フーゴによって伝統的な仕方で採りあげられていた。

ああ、私のこの頭が流れる大波へと変わればよいのに、
　かつてなかったほどの大量の、心地よい滴が流れるように。

…………

ああ、もし私の二つの眼がすぐにでも川になるならば。

詩人は続けて、アンドロマケ、エッサイ、そして当然にも、その時代の涙に満ちた敬虔のタイプとして一般的であった、マグダラのマリアと聖ペトロの涙も十分だとは考えられないと述べる。彼が欲するのは、ナイル川の水であり、水瓶座から流れ落ちる雨、等々である。

私の両眼に雲が広まり覆うことを願う、
　そしてこの頭がすべて、太洋のごとくなることを。
あるいはすくなくとも、両眼が対の川となり、
　透明な流れが私の頬を濡らすことを。

…………

透明な、青白い種族のニンフはなんと幸福なことか、
　その四肢は、透明の流れで溶かされている。

…………

なぜ私の支流を、透き通った流れが潤さないのか、
　鉛色の大波のうえに、心地よい苔が浮かばないのか。

彼は新しいアキス［ファウヌスの息子で海の女神ガラテアに愛され、死後に川に変えられた］かビュブリス［ミレトゥスとキアネの娘で、兄を愛したが拒まれ泉に変容した］に、あるいは雪解けのピンドス山［テッサリアとエピロスの境界にあり、ムーサたちの聖山］になりたいのであろう。……クォールズは神話的な知識を豊富にもっていたわけではなく、彼が拠った模範と、融解性の点で競っているのである。

ああ、私の両眼は泉で、その滴りを海へと
変えることができた、私の溜め息は熱情の
嵐へ、聖なる暴力へと。そのなかで、
罪を積みこんだ、この揺れる小舟は
浸水して難破の憂き目に遭い、岩にぶつかって
大破するであろう。そこで私の魂はすっかり濡れて、
あふれる感情に押しつぶされる。ああ、そこには
滴りが、永久に流れる涙の滴りがある。
私と言えば、この広大な島を彷徨い、
流れる水脈が、血のかわりに塩気のある涙となって
荒々しく迂曲しつつ、この肉体を浸して
聖なる水腫を起こさせ、その井戸は

溜め息で暖まり、私の沈んだ吐息を立ちのぼらせるであろう。
私は流れのなかに溶けいり、蒸気となって死に絶えるのか。
…………
ああ、この肉体は大地ではなく、
雪からできていた。そして骨は氷。だからこそ
私の罪の熱を感じ、私が感じる
火を嫌いながら、私は無へと溶ける。
…………
もしペトロの雄鶏の声が
よく鳴き渡り、私の熱心な耳を満たすなら、
甘美な音色で満たすなら、私は涙で溶けてしまう。……

クォールズの『エンブレム集』は、ジョージ・チャップマンやジョン・ダンのような作家がより洗練された聴衆に駆使した形而上学的機知の簡易な代替物を、より広範な公衆に提供した。クォールズの機知はすべて皮相的で、粗野で俗っぽく、ハーバートの『神殿』（*Temple*）の黙したエンブレムや、イエズス会士ヘンリー・ホーキンスの『聖なるパルテネイア、すなわちパルテノスの神秘的で愉快な庭園』（*Partheneia Sacra, or the mysterious and delicious garden of the sacred Parthenes*）にさえ生気を与えている敬虔な精神の一片（ひとかけら）も存在しない。

ところで、一六三三年にフランスで刊行された後者は、ここかしことリチャード・クラショーの著作を想い起こさせる表現方法のゆえに注目に値する。私はすでにクラショーに言及したので、ここで、彼の『われらが神のための歌』はエンブレム的な図版で飾られていることを言い添えておこう。たとえば、「泣く人」（'Weeper'）にともなっている図

版（図16）は、フーゴの『敬虔な欲望』と、別の評判をとったイエズス会のエンブレム・ブック、『神的愛と人間的愛の対立』（*Amoris Divini et Humani Antipathia*）のなかに類似するものが見いだされる。[☆4] ホーキンスは美術作品と表現方法における絵画的効果への偏愛を露わにしている。

たとえば彼は、向日葵（ひまわり）のことを、「ピュティアのアポロンに誇示される深紅色の旗の兵器庫」と呼んでいる。彼の菖蒲（アイリス）についての文章において、豊富なイメジャリーはクラショーの「泡」（'Bulla'）の凝った直喩を先取りしているように見える。「それは矢がない弓、土台をもたない橋、膨らまない三日月、さまざまな色の幻影。〈無〉であり、それは自ずから、何かであるように示すであろう……」。しかし、もっとも著しい類似の印象をわれわれに与えるのは、ナイチンゲールの象徴に関する箇所である。もちろん、ストラーダの『アカデミア的訓練』（*Prolusiones Academicae*, 1671）における、ナイチンゲールについての有名な詩はホーキンスに知られていたにちがいない。しかし、クラショーの「音楽の決闘」（'Musicks Duell'）における音楽用語の披瀝は、ホーキンスにおいてのみ対応物が見いだされる。すなわち、ここには「前奏」（praeludiums）、「旋律の細分化」（divisions）、「完全協和音」（diapason）という用語が現われているのである。

クラショーにおいて、ナイチンゲールは自らの声の技巧を最初に体験させて（「多くの荒々しい音程の素速く、穏やかな韻律への細分化を達成して」）、リュ

図16——クラショー『われらが神のための歌』「泣く人」一六五二年 ロンドン

ート奏者に「彼女もまたなにごとかをなすことができる」ことを悟らせる。ホーキンスにおいて、ナイチンゲールは「旋律の細分化をおこないながら、息が続かなくなり途方にくれるまで中断しない。そしてそれから、なにごとかをなしたので、自らの周りを見まわす」。ホーキンスの表現方法が、一六二一年に現われた、フランスのイエズス会士ルイ・リシュオムの『霊的絵画』（*Peinture spirtuelle*）のそれをどれほど摸倣したのかについては、ここで論じることをひかえよう。

クォールズは一六三八年に別のエンブレム・ブック、『人生のヒエログリフ集』（*Hieroglyphiks of the life of Man*）を刊行した。この書物は蠟燭の象徴主義に由来するもので、蠟燭が次第に燃え尽きることが人生の消耗を表わしている（図17）。これと同一の象徴主義は、同じく一六三八年に刊行されたファーレイの『リュクノカウシア』（*Lychnocausia*）にも頻出している。またクォールズには、別の宗教的エンブレム・ブック、すなわちファン・ヘフテンの『心の学校』（*Schola Cordis*）の英語版、『心の学校、すなわち神から離れ、再び神へと戻り、神によって導かれる心』（*Schola Cordis, or the Heart of it Selfe gone away from God; brought back againe to him, & instructed by him*, London, 1647）がかつて帰されていたが、現在ではこの版の著者はクリストファー（あるいはトマス）・ハーヴェイと同定されている。

アウグスティヌス会士マイケル・ホイアーに帰される、別の宗教的エンブレム・ブック『聖アウグスティヌスの愛の焔』（*Flammulae Amoris S. P. Augustini*）は、トマス・スタンリーのサークルの詩人、ジョン・ホールによって英訳され、『優雅な図像をともなった、詩句によるエンブレム集、神的愛の閃光』（*Embems in verse, with elegant figures, Sparkles of Divine Love*）と題されて一六五八年にロンドンで刊行された。画像（図18）は例のごとく、フランドルの粗本の粗雑な摸倣で、このような借用の場合によく生じるように、しばしば左右が反転している。これらのエンブレムはトマス・スタンリーの妻であるドロシー・スタンリー夫人に捧げられ、フランシス・クォールズの一八人いる子どものひとりであるジョン・クォールズによる賞讃文が冒頭に置かれている。

私は、これらのエンブレムを熟読吟味し、真実であると思われる以外を認めることはできませんでした。すなわち、

> あのヘリコン山は、激流のなかで天上へといたる別の水路を見いだしたのです。徳は詩句によってエンブレム化され、神的愛は人間の機知と技芸によってきわめて魅力的なものとされたので、それらは聖なる結合によって（密通ではなく）、こうした天上的な美を具える幸福な子どもを生みだしたのです。この子どもは読者を、ほかの詩歌のように淫らな官能の矢によってではなく、神的愛の影響によって傷つけます。この愛は子ども自身を満たしており、魂を欲求の超過によって養うのです。

このように多くの約束も、この敬虔な小著作を迅速で完全な忘却から救うことには失敗し、きわめて少部数しか残存していない。

奇妙なことには、一九世紀になってはじめて、神的愛のエンブレム集はイギリスのなかに、フランドルとオランダの芸術家に匹敵するような挿絵画家を見いだした。この画家とはロバート・クルックシャンクであり、彼はヨーハン・アプリヒトの『神的なエンブレム集――フランシス・クォールズ師に倣い、銅版画で装飾された』（*Divine Emblems embellished with etching on copper, after the fashion of master Francis Quarles*, London, 1838）のために図版を彫った。クルックシャンクの図版（図19）は伝統的な宗教的エンブレムの図版とはきわめて異なる精神に満ちている。それらにはユーモアとグロテスクが漲っており、それらの精神はディケンズ的なアレゴリーの精神である。

一方で、イギリスは、エンブレム・ブックが流行を閲していた時代に、それらの生産量では大陸のはるか後方に位置していたが、他方で、一九世紀において少数のエンブレム・ブックを生みだした唯一の国である――たとえば、サミュエル・フレッチャーの『エンブレム的ディヴァイス集』（*Emblematical Devices*, 1810）、アルフレッド・ガッティ夫人の『エンブレム集』（*A Book of Emblems*, 1872）、G・S・コートリーの『エンブレム百選』（*A Century Emblems*, 1878）。そして、同時代のエンブレムへの関心は、スターリング・マックスウェル、トンプソン・イエイツ、ホワイト・ナイツのような重要なコレクションの形成と、アルチャートとホイットニーの著作のファクシミリ版の刊行［前者は一八七〇

図17――クォールズ
『人生のヒエログリフ集』　一八ページ　一六三八年
ロンドン

図18――ホール
『優雅な図像を伴った、詩句によるエンブレム集』　一六五八年
ロンドン

図19――アプリヒト
『神的なエンブレム集』　第六番　一八三八年
ロンドン

年と一八七一年、後者は一八六〇年で、いずれもヘンリー・グリーンの編纂〕によって証明される。

（一九三四年〔伊藤博明訳〕）

エンブレム、インプレーサ、エピグラム、綺想

ヨーロッパの古い図書館、とりわけもともと修道院に付属していた図書館の中には、いまではまったく参照されなくなってしまったか、あるいは参照されたとしてもごく稀に、しかもすぐに忘れ去られてしまう膨大な量の挿図入りの書物、すなわちエンブレム文献が眠っている。「エンブレム」(emblemi)はあらゆる古書店の目録に常に挙げられている項目であるが、私が思うに、ほとんどの人は〈アメリカ物(アメリカーナ)〉、〈好色物(エロティカ)〉、〈オカルト物(オカルティズモ)〉に対するのと同様に、さしたる関心もはらわずに、この項目を読みとばす(少なくとも、最近までは読みとばされていた)。「エンブレム」という魔術的な言葉を見て目を輝かせる少数の人びとにとってさえも、彼らの興味は切手や煙草箱の収集に示される興味とさして変わりはない。というのは、彼らの関心が、珍奇なものを手元に所有すること、そしてせいぜいが美しい図版を眺めて愉しむことを超えることはほとんどないからである。[☆1] たしかに、彼らは収集した書物に豪華な金具つきモロッコ革の装丁を施しはするが、それを実際に読むことが彼らの関心事であるとは思われない。

こうした文献は、本当に忘却されてしまってよいのであろうか。たとえそれが、現代から遠く隔たった世紀の逸脱した趣好の記録であるにしても、それは研究する価値がないのであろうか。[☆2] それよりまえに、エンブレムは本当に廃れてしまったのであろうか。

それどころかエンブレムは、たとえエンブレムという名称で呼ばれていないにしても、かつて常にそうであったよ

うにいまも生きている。いまも旺盛な生命力を発揮して存在している。だれであれ、一七世紀の偉人たちの荘厳な葬儀の報告を繙いてみる者は、そこにあふれんばかりのエンブレムやインプレーサの一覧を見て滑稽味をおぼえるであろう。そしてつぶやくであろう、「可笑しな時代だ」、と。しかし、これら一七世紀の人びとが、われわれよりも誇張した表現を好んだとしても、ダヌンツィオの描くヴィクトリア朝に詣でるまでもなく、結局はわれわれとそれほど異なってはいないことに気がつく。イタリア人ならば、ファシズモ生誕十周年を記念して発行された一連の切手のことを想い起こすかもしれない（図1）。これらは切手を集めだしたばかりの子どもに与えられるのが常である。この切手のシリーズは小冊子にまとめることができ、あの一七世紀の祝祭日の壮麗さを描写した埃だらけのエンブレムの二折版(フォリオ)の隣に、同等の権利をもって置くことができるであろう。というのは、形象(フィグーラ)とモットーを有するこれらの切手はすべて、完璧なエンブレムあるいは完璧なインプレーサのどちらかなのである。

たしかに、およそ人間が人間であるかぎりおこなう営為はすべて、歴史上のあらゆる時代に存在する。そして、その時代に固有な傾向を生みだすのは、営為と営為の関係のあり方だけなのである。ギリシアの壺絵作家は、トロイア戦争の英雄たちを表現するさい、厄除けの象徴(シンボロ)をその中に描きこんでいる（図2）。そしてその象徴については、アイスキュロスが『テーバイを攻める七将』（*Septem contra Thebes*）のなかで描写している。また、ティトゥス帝が鋳造させた有名な貨幣の裏面には錨にからみついた海豚(いるか)が描かれていた（図3）。しかし、アイスキュロスの時代のギリシアをとりたててエンブレム的な時代と呼ぶことはできないし、またエンブレムと類似したジャンルのエピグラムが花盛りだったフラウィウス朝のローマをもそう呼ぶことはできないであろう。しかし〈技巧の戯れ〉（technopaegnia）と〈詩もまた絵のごとく〉（Ut pictura poesis）という規範を生みだしたアレクサンドリア文化全盛の時代こそまさに、エンブレム花盛りの時代であった。[☆3] また、よく知られた数々の象徴を生みだした初期キリスト教の精神はエンブレムに満ちていた（図4）。さらに、独特な動物寓話集、碑文集成、そして数々の寓意(アレゴリーア)を生みだした中世キリスト教徒の精神も同様であった。『教訓版オウィディウス』（*Ovide moralisé*）の作者は、オウィディウスの『変身物語』（*Metamorphoses*）の中のピュラモスとティスベの物語を敷衍したのだが、彼はこれを次のように象徴的に解釈しようとしている。

> さてあなたにこれから、この物語の意味するところの
> 寓意（アレゴリーア）をお話しましょう。[☆4] ……

またダニエッロ・バルトリは、その著書『道徳的に解釈されたシュンボルム集』（*Simboli trasportati al morale*）と『道徳的に解釈された地理学』（*Geografia trasportata al morale*）で、この物語を象徴的に解釈しようとしている。この二人はともに、同じ趣好を代表している。フェルディナンド・ネーリ教授は次のように評している。[☆5]

> カルドゥッチは、かの詩句――フランチェスコ・ペトラルカのカンツォーネ「この異様なもの」（'Qual più diversa'）――について、これは中世における無知と迷信のあいだから生じた「象徴に満ちた、奇矯な、空想的な、高踏的な詩」であると語った。……寓意は実際、その冷たさによって常にペトラルカの歩みを妨げたのである。つまり彼は、初期の詩句「はじめの甘きときに」（'Nel dolce tempo de la prima etade'）から「ある日、私は」（'Standomi un giorno'）および「言わずにいられない」（'Tacer non posso'）、さらに『凱旋』（*Trionfi*）の描くヴィジョンまで、寓意にとらわれていた。そして一度たりともそれを克服することはできなかった。そして、彼のこの「中世」は、アレクサンドリア時代と共通の特質をもっていたのである。

この「アレクサンドリア時代」という言葉のうしろに「バロック」という言葉をつけくわえることもできたであろう。ネーリは『凱旋』を「エンブレムによる、時と永遠のヴィジョン」であると述べている。事実、「ある日、私は」の

図1———ファシズモ生誕十周年記念切手 「明日の戦いのために力を蓄えて」
一九三二年一〇月二七日発行

図2———《アキレウスとアイアス》 黒絵式キュリコス　前五四〇年頃
ミュンヘン　バイエルン州立古代美術博物館

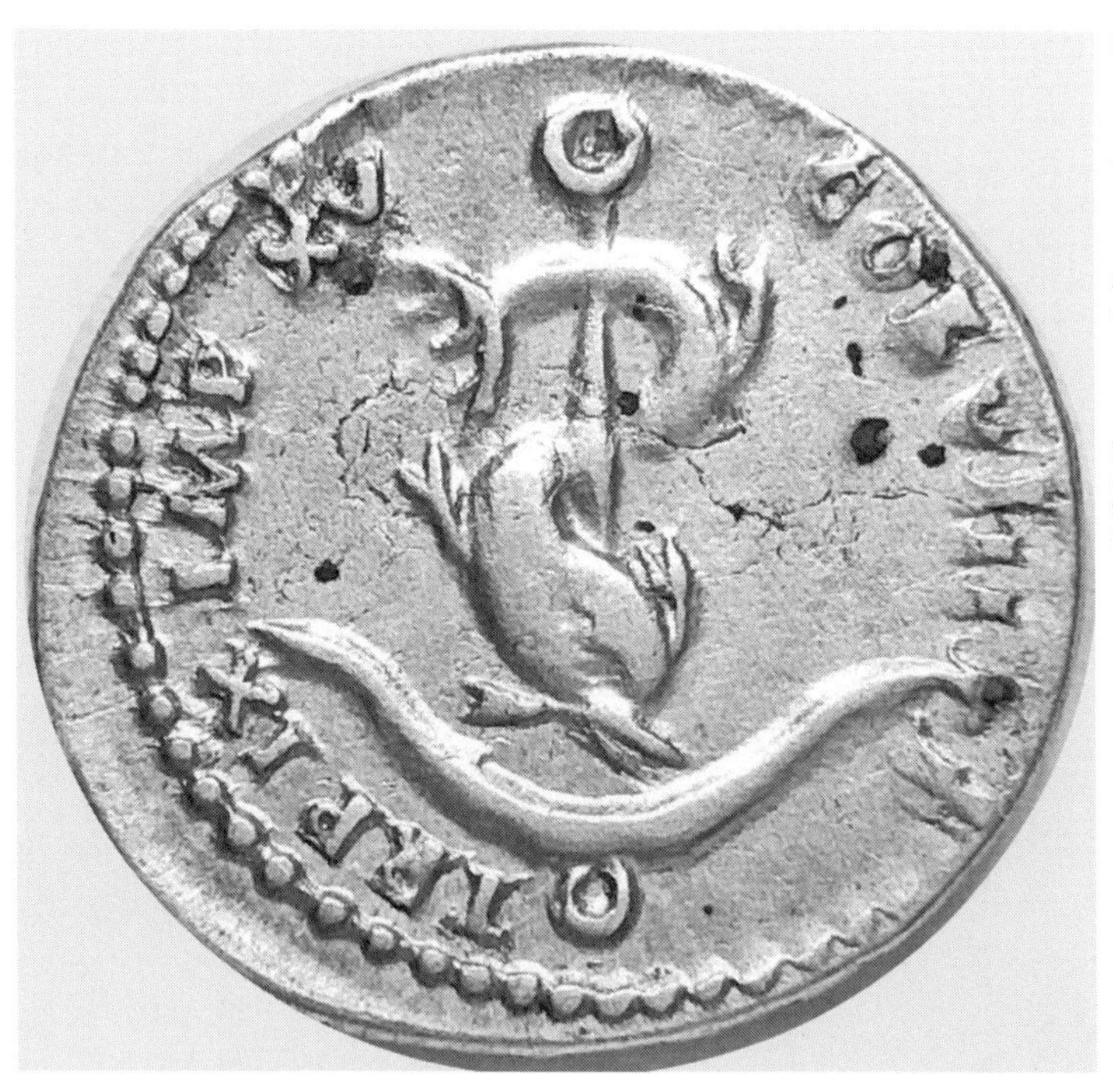

図3――ティトゥス帝のコイン　八〇年鋳造

図4――《アティメトゥス名義の墓》
ローマ　サン・セバスティアーノのカタコンベ　三世紀前半

一連一連はすべて、それにあるひとつの形象が与えられるだけで正真正銘のエンブレムとなるのである。彼の詩句のひとつに歌われた「不思議な不死鳥（フェニックス）」（'strana fenice'）ほどに一七世紀的〔バロック的〕なものを想像することができるであろうか。

ペトラルカにおけるエンブレム的なものは、詩人たちの物語のなかに科学的・哲学的秘儀の徴を認める中世の理論の光のもとに考察されなければならず、要するに、このような物語を、のちにバロックがエジプトのヒエログリフを評価した観点に類した観点から考察されなければならない。しばしばペトラルカはこの中世の理論を広言している。たとえば『老年書簡集』（*Senili*）第四巻第五番「ウェリギリウスのいくつかの創意について」（'De quibusdam factionibus Virgilii'）で、また『書簡集』（*Epistole*）第二巻（ゾリオ宛書簡、ヘンリクペトリ版、一五五四年、一三五一ページ、右欄）において公にしている。

詩人たちは、魂にある神的な力をもち、
諸事物のなかでもっとも美しいものをヴェールで覆う。
そこには、リュンケウス〔山猫〕の鋭い視線が解きうる謎また謎が。

ここで語られている「リュンケウスの鋭い視線」（acies lyncea）とは、一七世紀の「機知」（agudenza）をいわば告知しているように思われる。さらに、のちのエンブレム作家たちは、ペトラルカに見られるエンブレム的要素の強いいくつかの詩句に形象を与えている。そうした例としてジロラモ・ルシェッリの『著名なインプレーサ集』（*Imprese illustri*）やバッティスタ・ピットーニの『さまざまな君主のインプレーサ集』（*Imprese di diversi Principi*）のなかに見いだされるルクレツィア・ゴンザーガのインプレーサは、月桂樹の下の純白の牝鹿とともに、ペトラルカのソネット「草の上の純白の牝鹿」（'Una candida cerva sopra l'erba'）から採られた「だれも我に触れることなかれ」（'Nessun mi tocchi'）というモットーが刻まれている（図5・図6）。

またジョヴァンニ・アンドレア・パラッツィは、彼の『インプレーサをめぐる談論』（*Discorsi sopra l'imprese*）第三巻において、ペトラルカのカンツォーネ「いとも異様で珍奇なもの」（'Qual più diversa e nova'）の一連から採られた、カトブレパ［蛇牛怪獣］が描写されたインプレーサに言及している。ペトラルカの詩には「極西に住むカトブレパ……」とある——ただし、このインプレーサの作者は「その目を見さえしなければ」（pur che gli occhi non miri）というモットーをさらにこの詩句から採っているが、それを一睨みで人を殺す怪獣バシリスクに帰している。またスペンサーによって英訳されたと考えられているペトラルカのカンツォーネ「ある日、私は」（'Standomi un giorno'）は、ファン・デル・ノートの『俗人のための劇場』（*Theatre for Wordlings*, 1569）のなかで木版画として形象化されている[☆6]（図7）。

ペトラルカは、綺想（コンチェット）への趣好に加えて、彼のエンブレム的要素によっても一七世紀に先駆していた。だが、エンブレムも綺想ももとはと言えば同じ根から育った果実である。そして、綺想を好む時代は常にエンブレムを好む時代でもあった。

一七世紀には、ディドロが次のように説明している空想への傾向が先鋭化し、激発したのである[☆7]。

> 詩人の発する言葉のなかに、音節すべてを動かし活気づける、ある精神が入りこむ。それでは、この精神とはなんであろうか。ときおり私は、その現前を感じたが、私がそれについて知っていることと言えば次のようなことだけである。すなわち、諸事物をすべて一緒に語り、表現せしめるのが詩人であるということ。同時に、知性が諸事物を把捉し、魂はそれらによって揺さぶられ、想像力はそれらを視、耳はそれらを聴くということ。そして発せられる言葉は、もはや思考を力強く威厳をもって披瀝する活力に満ちた言葉の連鎖というだけではなく、思考を描写する相互に積み重ねられたヒエログリフの織物でもあるということ。この意味で、あらゆる詩はエンブレム的なものだと言いうるであろう。

図5――ジロラモ・ルシェッリ『著名なインプレーサ集』ヴェネツィア　一五五六年

図6――バッティスタ・ピットーニ『さまざまな君主のインプレーサ集』ヴェネツィア　一五六二年

図7――ファン・デル・ノート『俗人のための劇場』ロンドン　一五六九年

dela S lugretia
gonzaga

この章句はショーペンハウアーの次の一節によく似ている。[☆8]

一般的に、エンブレムという名称は、単純で寓意的な描写に対して与えられているが、この描写は、説明的なモットーをともない、直感的な形式において道徳的真理を示すためのものである。……それは、詩的な寓意への移行を形成するものである。……寓意は、詩において、まったく別の価値を有している。寓意は、造形芸術においてはけっして認められないものであるが、文学においては完全に認めうるものであり、有益なものである。……詩的寓意というかたちをとって表現されているものは、常にある概念から生じるものであり、概念はある表象を介して、直観的な理解を求めるのであるから、描写される形象が、ときおり表現とともに現われ、表現を十全たるものにすることが認められうる。ただし、描写される形象というイメージは、造形芸術の作品としてではなく、ヒエログリフ的な記号とみなすべきであろう。それは、絵画としての価値をもちえず、ただ詩的創造としての価値だけをもちうるであろう。

詩的なイメージはすべて、潜在的にエンブレムになりうるものを含んでいるので、イメージへの傾向が激発することになったあの世紀、すなわち一七世紀がなぜ、とりわけエンブレム全盛の時代であったのかを理解しうる。一七世紀の芸術家は、感覚的な確実さを表現上必要としていたので、イメージの純粋に空想的な形象化にとどまることがなかった。すなわち、彼らはそのイメージをひとつのヒエログリフ、ひとつのエンブレムにおいて表現し投影することを欲し、言葉の内容を完璧に伝えようとして造形表現をつけくわえるのを好んだのである。想い起こしていただきたいのは、一七世紀は、ディドロが次のように描いているオペラの世紀であったということである。

「諸事物はすべて一緒に語られ、表現される。同時に、知性が諸事物を把捉し、魂はそれらによって揺さぶられ、

図8――ソロルサノ・ペレイラ『エンブレム集』マドリード　一六五三年

想像力はそれらを視て、耳はそれらを聴く」。オペラは、哲学的観点から見れば、さまざまな芸術の眩惑的な融合であるが、心理学的観点からみれば、不可能なもののなかに侵入しようとする想像力の徴であり、五官のすべてが欲求するような激しい知的欲求なのである。要するに、それは芸術への昇華というよりも知覚しうる事物への執着なのである。偉大な神秘思想家を輩出した時代は、同時にエンブレム作家をも生みだした。この両者は対立するようにみえるが、しばしば、この対立するものが同一人物の中で結合されているのである。おそらく、これら二つの想像の産物があまりに生命に満ちたものであったので、これらは五感を超えた世界に、表現しえないものの世界に隠れ家を求めたのであろう。

「私は、悪魔たちが亡者の魂を用いてペロータ［スペインの球遊び］をしているのを見たことがある」。聖テレサが『自伝』（*Vida*）第三〇節で語るこの幻視は、エンブレムとして表現されたものの中に符合するものを見いだす。たとえば、ソロルサノ・ペレイラの『エンブレム集』（*Emblemata*, Madrid, 1653）の第四巻には、王たちを遊戯の球として弄んでいる神の姿が描かれている（図8）。エンブレム一般の場合と同様に、この場合にも、空想が放恣だからといって非難するのは的外れなことであろう。むしろ、「直観的に理解しうる表現形態において道徳的真実を教える」ための、一般的な教化のための方策として考えうるであろう。事実、これがイエズス会士がエンブレムを重視した理由なのである。しかし、一七世紀のエンブレム文献のなかに合流している、直観的な表現と教化のための方策という、これら二つの傾向性を識別するのは容易というわけではない。[☆9] そして、これらの傾向性については、エラスムスがエンブレムの母型である隠喩（メタファー）について述べたときすでに、ともに論じていたのではなかったであろうか。[☆10]

> こうして私は、隠喩から文章の光輝だけでなく、また普遍的な威厳も発することを知解するであろう……と予言したのである。キケロが「比喩」（collatio）と呼んだ「パラボレー」（παραβολή）とは、明瞭な隠喩以外のものではない。……それ以外の修飾が特定のものであるのに対して、隠喩だけが、より十全に普遍的なのである。君は読者を喜ばせたいのか。隠喩ほど喜悦を与えるものはない。君は飾ることを求めているのか。隠喩よりも効果があり説得力のあるものは認められない。

このような隠喩の賞讃、あるいは「秘められた機知」（acutezza recondita）の賞讃は、カスティリオーネの『廷臣論』（*Il cortegiano*）に見いだされる（第一の書、第三〇節）。

> もし作家の用いる言葉が、理解不能とは言わないまでも秘められた機知を多少でももっているならば、……書物にある種の威厳を与え、読者により注意を向けさせて思考を深めさせ、作家の才智と学識をより明瞭に認識させ、愉しむようにさせることができるのである。

この賞讃に、バルタサル・グラシアンの『機知、および才智の技法』（*Agudenza y arte de ingenio*）におけるエンブレムの賞讃が続いている。すなわち、「エンブレム、ヒエログリフ、寓話、インプレーサは、精妙な議論のための黄金の上に宝石を鏤めた貴重な財宝である」[☆11]、と。カスティリオーネの賞讃からグラシアンのそれへの距離はほんの一歩である。こうして、いかにルネサンスの詩作の中に、一七世紀様式（セチェンティズモ）の基盤があったのかが明らかになるのである。同様にテザウロは、隠喩（メタファー）について次のように述べている。[☆12]

隠喩は、すべての対象を、ひとつの語彙のなかにみごとに詰めこむ。そして、いわば奇跡的な方法で、君に、あるものを他のものを通してかいま見せるのである。それによって、君の愉しみはより大きなものとなる。この方策において、もっとも興味ぶかく、またおもしろく感じられるのは、多くの対象をひとつの覗き穴を通して視ることであり、その結果、その映しだされた多くの対象が、次々と君の目の前を過ぎていき、その本来の姿を現わすことである。

テザウロは、天空を「才智に長（た）けた自然が、自ら熟考したものを描く、広大な淡青色の楯、すなわち、英雄を描くインプレーサ、自らの秘密を表わす謎めいた機知に満ちた象徴を映しだすもの」とみなし、雷の落下を「自然の恐るべき、機知に富み、象徴的な、最初に光輝を発してすぐのちに轟音を響かせる秘文字（チフラ）、すなわち稲妻を表象とし、雷鳴をモットーとしてもつ秘文字」とみなした。そして、神を「さまざまな英雄を描くインプレーサや形象を与えられた象徴、また神自らの至高なる綺想によって、人間と天使をからかう機知に満ちた物語作家」と想像した。このように、プルタルコスによって次のように定式化された古代の見解は、テザウロによって究極の本質的な帰結（宇宙的なエンブレム）へともたらされたのである。[☆13]

自然そのものが、われわれに、可感的なイメージと可視的な似姿を与えた、神々には太陽と星辰を、生命にかぎりのある者たちには光と彗星と流星を。

この見解は、リールのアラヌスが次のよう歌っていたときにはすでに[14]、中世に大きな反響を及ぼしていた。

この世界の被造物はすべて、
いわば書物や絵画のごときもの。
　またそれらは、われらを映す鏡。
われらが生の、われらが死の、
われらが地位の、われらが運命の、
　それらは忠実な表徴。

また、ダニエッロ・バルトリは、エンブレムの語源の定義（象眼細工がほどこされたモザイク作品）について詳述しながら、『道徳的に解釈されたシュンボルム集』（*De' simboli trasportati al morale*）で次のように述べている。

私は、あちらこちらで、象眼細工がほどこされた古代の、そして今日［一七世紀］でも実際に見ることができる数々の芸術作品の驚嘆すべき実例を見た。……すべては、才智と技巧の作品であり、多様な色彩、多様な筋目模様、多様な斑点をもち、光を帯びて輝き、あるいは影となって暗くなり、そうした木面に差異をつけ、あるいは統一しようとしている。それらの多様な木面は、互いに混じりあい、作者が望むように構成され、つくりあげられている。しかしそれは、ある板からほかの板への流れが色彩のうえでみごとに統一されているので、さまざまな木片、さまざまな切れ端を技巧によって寄せ集めたものとは見えず、さながら、もともと一本の樹木の一部であった幹を切りとり、それをそのままひとつの作品としたものに見えるのである。……これら象眼細工の作品においては、自然が技巧によってつくられたと見えるように意図されており、その結果、技巧と自然は区別されえないものとなる。

こうした種類の象眼作品において、個々の断片が寄せ集まって他の全体を完璧に表現しているという事実は、見る者を驚嘆させ、この者に大いなる興趣を抱かせる。技巧によって偽造された自然のあらゆる構成物と同様に、この象眼細工という他意のない欺きも、真なる自然を表現しているわけではない。しかし、物語や寓話、自然や芸術から採られた題材はなんであれ、それを用いてまったくほかの道徳的教訓を表現しようとするさいに同じことが生じるのである。たしかに、類似することと真なることとのあいだには、置き換えが可能な特質と照応とがはっきりと存在する。いわばそれは、才智による技巧の表われではなく、〈置き換え可能な自然の特質と照応を規定する秘文字(チフラ)によって書き記された自然の哲学〉であるように私には思われる。

アレクサンドリア時代の文化と一七世紀との結びつきは、とりわけ、イエズス会の著述家、フアン・エウセビオ・ニーレンベルク師によって、『隠秘哲学』(*Oculta Filosofia*)の「象徴文字」(Gnomoglyphica)を扱った一節において、次のように記されている。[☆15]

プロティノスは、この世界を神の詩と呼んだ。私が、この詩がどこからでも読みうる、独立した意味をもち、創造主への言及がある、ひとつの迷宮のごときものであると付言しよう。古代の詩的技巧の例のなかでも有名なのは、テオクリトスの歌ったパーン(神の笛の調べ)、ロードス島のシミアスの歌った卵と翼と斧、さらになによりも才智に富み、比肩するものがないのは、詩人ポルピュリオスがコンスタンティノス帝のために詠んだ頌詩であり、それはのちに、聖ヒエロニムス、フルゲンティウス、ベーダなどの教父たちによって賞讃されている。……この頌詩全体が、技巧を凝らした一七の迷宮から成っており、ある詩句を別の詩句と多様な様式で結合し、組みあわせ、すべての部分が皇帝の讃美を表わしている。詩の冒頭においても中間においても末尾においても、最初の行の最初の文字から最後の行の最後の文字まで、また註解の諸行のいかなる部分、第二の行の第二の文字、第三の行の第三の文字をはじめ、およそありとあらゆる部分が意味をもち、皇帝を讃美している。そしてまさにこの頌詩と同じ仕方で世界が神の頌詩であると、私は想像するのである。

しかし、もっとも非凡な「技巧の戯れ」は、エリチオ・プテアーノが、イエズス会の詩人ベルナルド・ファン・バウヒュイセン（ベルナルドゥス・バウフシウス）の詩句にもとづいて詠んだものである。

処女［マリア］よ、汝には、天の星辰のごとき多くの賜物がある。

プテアーノは、この詩句の言葉が一〇二二の異なる仕方で組みあわされうることを示した。一〇二二というのは当時知られていた星の数であり、したがって、天が処女マリアの徳を表わす完璧なエンブレムであるということを、根拠をもって示すことができたのである。すなわち「神と自然におけるあらゆる驚異（*θαυμάσια*）、天にある処女マリアの似姿、詩句によって描かれた天」。そしてこの詩句は「星のごとく輝くプロテウス」、「ホメロス的驚異」とも呼ばれ、こうした表現は、フィロストラトスが『ソフィスト列伝』（*Vitae Sophistarum*）で言及している、ポルックスという名のソフィストの言葉を想い起こさせる。またそれは、「多様な形姿をもつ忍冬草（すいかずら）」とも呼ばれ、こうした表現は、エウポリオンおよびアポロニオスの註釈家の言葉を想い起こさせる。[☆16]

こうした点において、アレクサンドリア時代、中世、そしてバロックの時代は、同じ特殊な趣好を共有している。

その特殊性は、他の類比しうる点も考慮する——たとえば、アレクサンドリア時代の文化と一七世紀の文化におけるエピグラムと綺想（コンチェット）への共通の趣好、またしばしば示唆されているゴシックとバロックの間の類似性など——ならば、かつて試みられたことのない広範な領域における趣好の歴史を、ひとつの流れとしてくることを許すものである。したがって、われわれは無益な研究に対するがごとくエンブレム文献に対して眉を顰めるべきではない。また、もしきわめて現代的な倫理的観点から、エンブレムや綺想が「魂のなかに愛や畏れや真理の光を吹きこむようなふりをして、魂を惑わせ欺く空想的な類比」[☆17]のように見えるとしても、そのことはたいして意味をもたないであろう。また、今日のわれわれにとって逸脱した趣好と思われるものでさえ、ベネデット・クローチェの次の言葉のように、それらを侮蔑しつつ眺めたり、あるいは無視したりという態度をとるよりも、むしろ正当な関心が払われて然るべきものなのである。[☆18]

心や知性や想像力を養うことなく、眼やそのほかの感覚を楽しませ、空想を揺り動かすために、その当時流行していたあらゆる種類の、世俗的・宗教的見世物（スペッターコリ）が、すなわち、行列、葬送儀礼、イルミネーション、回転花火、牛の競争、騎馬試合、機械仕掛け、凱旋門、張り子の像、インプレーサ、エンブレムが必要であった。そしてアカデミーも同様に、時代の要請に応えてバロック的な詩句をあいもかかわらず歌いつづけ、不毛で馬鹿げたテーマを論じることで無為に時を過ごしていた。

エンブレムとインプレーサは心や知性や想像力を養うことができなかった、というのはクローチェの言葉であるが、もしエンブレムとインプレーサが幾人かの神秘思想家に与えた影響をみるならば、またイエズス会士ルイ・リシュオムが信仰の秘儀の「徳と果報と愉楽を、有効で熱心な悦びをもって」教える宗教的イメージについて書いていることを読むならば、彼の言葉を信じるのがためらわれるであろう。

絵画ほど魂を悦ばせ、ある事柄を魂にそっと忍びこませることができぬものはない。絵画ほど記憶のなかに深く刻印し、絵画ほど効果的に意志を刺激して力強く魂を揺り動かすものはない。[☆19]

私の考えが誤りでなければ、この引用を見ればわかるように、まさに象徴的イメージから糧を得る心と知性と想像力がここに語られているのである。たしかにそのイメージは、一見しただけでは、クローチェとともに「無為な暇つぶし」と呼びたい誘惑に最初はかられるものなのではあるものの。

（一九六四年［伊藤博明＋若桑みどり］）

エピローグ　ピクタ・ポエシス

――バロック期のテクストとイメージ

二〇世紀イタリアが生んだ、傑出した文学研究者にして美術批評家のマリオ・プラーツ（一八八九年～一九八二年）の略歴と主要著作については、既刊の『官能の庭Ⅰ　マニエーラ・イタリアーナ――ルネサンス・二人の先駆者・マニエリスム』の「エピローグ」に記したので、ここでは本書『ピクタ・ポエシス』に含まれた七つの論考が執筆されたころの情況を説明しつつ、各論考の内容と特徴について紹介しよう。

本書『官能の庭Ⅱ　ピクタ・ポエシス――ペトラルカからエンブレムへ』は三つの部分から構成されている。最初の論考はイギリス建築におけるバロック的要素について、続く三つの論考は著名なイタリア人作家たちのイギリスへの影響について、最後の三つの論考はエンブレムの基本的特徴と初期エンブレム文学について論じている。そして、最初の論考と次の諸論考は、イタリア芸術のイギリスにおける受容という点において重なり、また、第二の諸論考と最後の諸論考は、詩のピクチャレスクな描写という点において連関している。

最初の論考「イギリスのバロック」は、一九六〇年にローマのアカデミア・リンチェイで開催された国際シンポジウム「マニエリスム、バロック、ロココ――概念と用語」において口頭発表された。

プラーツは一九三四年からローマ大学で教授として英文学を講じており、多数の著作によって、すでに研究者・批評家として地位を確立していた。E・K・ウォーターハウス『ブリテンの絵画――一五三〇年から一七九〇年まで』

（一九五三年）、ジョン・サマーソン『イギリスの建築――一五三〇年から一八七〇年まで』（一九五三年）、ニコラウス・ペヴスナー『イギリス美術のイギリス性』（一九五六年）などの名著を参照しながら、とりわけ建築においては、ヴァンブラ、ホークスモア、トマス・アーチャーを例外として、なぜイギリスにはバロックが浸透しなかったかという大きな問いに明快で説得力のある解答を与えている。

プラーツによれば、イギリスは「狂信家の国ではなく、好事家、水彩画家、細密画家たちの国」であり、「透明を好み、微妙な陰影を好む国」である。イギリスでは、気候と同様に芸術にも極端さは見られない。レトリックとは無縁で、妥協と折衷主義を好む。「孤高の天才」シェイクスピアにあっても、その本質はおそらく、普遍的な包括性に、相反するものを融合させる折衷主義に存するのであろう。

プラーツはヴァンブラとホークスモアという「二人の天才的な芸術家」について触れながら、逆説的にイギリスにおけるバロックの忌避について説明している。たしかに、イギリスにはバロックの誕生をうながす好ましい条件は生まれなかった。「しかしながらイギリスにもバロックは存在した。それは遅れて到来し、二、三の芸術家のなかにのみ花開いたという事実が、イギリス芸術のなかで彼らに例外的な性格を帯びさせ、この例外的な性格がイギリス芸術に定まった規範が存在していたことを示している」。

「イギリスのバロック」の数年前に執筆されたのが、「イギリスにおけるペトラルカ」（一九五八年）、「イギリスにおけるアリオスト」（一九五七年）、「イギリスにおけるタッソ」（一九五七年）である。いずれも大きな課題に対して、きわめて充実した内容の論考をほぼ同時期に執筆したプラーツの学識と筆力には、あらためて瞠目せざるをえない。三つの論考とも、英語版が一九五八年刊行の『燃ゆる心』に、イタリア語版が一九六二年刊行の『イギリスにおけるマキャヴェリ、およびイギリスとイタリアの関係についての他の諸論考』に収められている。

近代ヨーロッパ文学に影響を与えたイタリア人による作品として、ダンテ『神曲』、ペトラルカ『カンツォニエーレ』、アリオスト『狂えるオルランド』、タッソ『エルサレム解放』の四つを挙げることに異論を唱える者はいないであろう。プラーツは、イギリスにおける受容をめぐって、ダンテについても「イギリスにおけるダンテ」と題する論考を一九三〇年（『ラ・クルトゥーラ』誌1月号）と一九六二年（『マエストロ・ダンテ』に所収）に発表している。プラーツによれば、イギリスの詩人にあいだでダンテほど人気を博した外国人作家は見いだされない。ただし、チョーサー、バイロン、シェリー、ロセッティ、T・S・エリオットはそれぞれ異なるダンテを見ていた。一方、ペトラルカは古典建築のオーダーのように、不変の詩的言語（「ペトラルカ風ソネット」）の創造者であるがゆえに、そこには礼讃か拒否かのいずれかの選択しかありえなかった。

プラーツの鋭利な分析が際立っているのは、フィリップ・シドニーの詩に対してである。彼の『アストロフェルとステラ』は、自身が誰にもなにも負っていないと断言しながらも、実際にはデュ・ベレーの「ペトラルカに抗して」をひとつの源泉としている。しかも、ペトラルカとは異なり、率直さや純粋な霊感を求めると誓約していながら、シドニーは大陸のフランボワイヤン派のソネット作家が使い古した隠喩の多くを反復している。その詩節は、クラショーが「甘美な文体が降り注ぐシドニー風の雨」と形容したものである。ただし、シドニーは独創性のない卑屈な摸倣者ではなく、彼が描く感情の率直な抑揚が、彼を「イギリスのペトラルカ」という形容に値する者としている。

プラーツの見立てでは、エドマンド・スペンサーの『妖精の女王』は『狂えるオルランド』と『エルサレム解放』の「教訓化された混淆」と呼ぶことができる。『狂えるオルランド』で用いられたアレゴリー的手法はスペンサーによって拡張され、アリオストが意図していなかった人物や逸話もアレゴリー化されている。しかし、『狂えるオルランド』中の逸話からもっとも影響を受けたのはシェイクスピアの『夏の夜の夢』である。エリザベス朝のイギリス人作家は、イタリア人を血と復讐に満ちた悲劇の繰り人形として創出したが、シェイクスピアは等身大のイタリア人として表現し、まさに彼だけがアリオストの詩の精神に分け入ることができた。

タッソの『エルサレム解放』もまた、スペンサーの『妖精の女王』による摸倣によってはじめて、イギリス文学のなかに侵入した。しかしそのさいに強調されていたのは、戦いを挑む十字軍と防戦するイスラム軍の英雄的な勇壮さではなく、むしろ「官能的な魅惑と哀感に満ちた不安」であり、この特徴がそののち数世紀にわたって、イギリスにおけるタッソ受容の基底となった。タッソ自身の悲劇的な生涯もロマン主義的観点から伝説化され、そこから、たとえばバイロンの『タッソの嘆き』が生みだされた。

本書のタイトルとした「ピクタ・ポエシス」(picta poesis) とは、フランスの詩人で人文学者のバルテルミー・アノーが一五五二年に、リヨンの書肆ボノムから刊行した、エンブレム・ブックのタイトルである。文字どおりには「描かれた詩」の意味であるが、副題としてホラティウスの『詩学』に見える言葉、「詩もまた絵のごとくあろう」(Ut pictura poesis erit) が記されている。フランスのエンブレム・ブックとしては、ラ・ペリエール『良き術策の劇場』(一五三六年)、ジル・コロゼ『エカトングラフィー』(一五四〇年)、ギヨーム・ゲルー『エンブレム集』(一五五〇年)、パラダン『英雄的ドゥヴィーズ集』(一五五一年) に続くものであった。

プラーツは本書所収の「エンブレム、インプレーサ、エピグラム、綺想」(一九三四年) の冒頭で、エンブレム文献は「本当に忘却されてしまってよいのであろうか。たとえそれが、現代から遠く隔たった世紀の逸脱した趣好の記録であるにしても、それは研究する価値がないのであろうか」と問いかけている。プラーツによれば、インプレーサとエンブレムについての研究がこれまで皆無ではなかったにせよ、「それらが流布した時代の一般的な特徴と関連づけて理解しようとした包括的な研究はいまだ存在しない」のである。

彼がエンブレムとインプレーサの研究に傾注したのは、一九二〇年の後半から三〇年代の初頭にかけてであり、ロンドンのブリティッシュ・ライブラリーを初めとするヨーロッパの各図書館、そしてとりわけ、アラン・H・ブライト氏やジョン・スターリング・マックスウェル卿の私的コレクションを博捜し、その成果は後年、浩瀚なエンブレム文献の書誌 (一九四七年) として結実する。

「エンブレム、インプレーサ、エピグラム、綺想」は最初、『ラ・クルトゥーラ』誌 (一九三三年) に発表され、一九三四年刊行の『綺想主義研究』に第一章として収められた。プラーツによれば、バロックの時代は古代のアレクサンドリアと同様に、エピグラムと綺想への趣好が横溢した時代であり、「精神の対象においては綺想が統治し、機知が凱旋する時代」（グラシアン）であった。また、エンブレムとエピグラムは、同一の「技巧の戯れ（テクノパエグニオン）」を企てる二つの異なる様態を表わしていた。この綺想・エンブレム・エピグラムの「三位一体」の下に、プラーツは厖大なエンブレム文献の核心的イメージを適確に掘りおこしたのである。

一九三九年にロンドン大学ウォーバーグ研究所から、英語版の『一七世紀イメジャリー研究』が刊行され、そのさいに、新しく「付論」として「文学におけるエンブレムとインプレーサ」が追加された。本書に収録した「イギリスのエンブレム文学」（一九三四年）については、『一七世紀イメジャリー研究』と平行する箇所が存在するし、また「ペトラルカとエンブレム作家たち」（一九四四年）については、『一七世紀イメジャリー研究』の「付論」のなかに同一の記述が見いだされる。ただし、両論考には『一七世紀イメジャリー研究』には見いだされない記述も含まれており、また、特化したテーマを設定することによって論述が理解しやすくなっている。

本書に収められた論考の初出および再録は以下のとおりである。翻訳の底本は「イギリスのエンブレム文学」を除いてはすべてイタリア語版である。

「イギリスのバロック」

"Barocco in Inghilterra," in *Manierismo, barocco, rococò, concetti e termini*, Roma: Accademia Nazionale dei Lincei, 1962, pp.129-146; "Baroque in England," *Annales de la Faculté des Lettres et Sciences Humaines d'Aix*, 36 (1962), pp.143-165; in *Modern Philology*, Feb. 1964, pp.164-179.

「イギリスにおけるペトラルカ」

"Petrarca in England," in Mario Praz, *The Flaming Heart: Essays on Crashaw, Machiavelli, and Other Studies in the Relations between Italian and English Literature from Chaucer to T. S. Eliot*, New York: Doubleday Anchor Books, 1958, pp.264-286; "Petrarca in Inghilterra," in Mario Praz, *Machiavelli in Inghilterra ed altri saggi sui rapporti Anglo-Italiani*, Firenze: Sansoni, 1962, pp. 253-276.

「イギリスにおけるアリオスト」
“L'Ariosto e Inghilterra,” *Il Veltro*, I, 3-4 (giugno-luglio 1957), pp.91-31; in *Machiavelli in Inghilterra*, pp. 277-296; “Ariosto in England,” in *The Flaming Heart*, pp.287-307.

「イギリスにおけるタッソ」
“Tasso in Inghilterra,” in *Torquato Tasso. Celebrazioni ferraresi, 1954*, Milano: Marzorati, 1957, pp.673-709; in *Machiavelli in Inghilterra*, pp.297-336; “Tasso in England,” in *The Flaming Heart*, pp.308-347.

「ペトラルカとエンブレム作家たち」
“Petrarca e gli emblematisti,” in Mario Praz, *Richerche Anglo-italiane*, Roma: Edizioni di Storia e Letteratura,1944, pp.303-319.

「イギリスのエンブレム文学」
“English Emblem Literature,” *English Studies*, 16 (1934), pp.129-140.

「エンブレム、インプレーサ、エピグラム、綺想」
“Emblema, Impresa, Epigramma, Concetto,” in Mario Praz, *Studi sul Concettismo*, Milano: La Cultura, 1934.

邦語版『官能の庭——マニエリスム・エンブレム・バロック』は一九九二年二月に、若桑みどり他訳で刊行された。本書はその第三部「ペトラルカからエンブレムへ」をもとに、ほぼ三分の二の論考をさしかえて刊行するものであり、既訳についても訳者による検討を加えている。ただし、若桑氏は故人となられているので、翻訳については伊藤・新保が慎重に確認し修正したことをお断りしておきたい。

二〇二二年五月　訳者を代表して　伊藤博明　識

註

イギリスのバロック

☆1——Nicolas Pevsner, *The Englishness of English Art*, London: the Architectural Press, 1955.

☆2——Bernard Berenson, *Aesthetics and History in the Visual Arts*, New York: Pantheon Books, 1948, pp.196-97. Cf. Mario Praz, *Estetica, etica e storia nelle arti della rappresentazione visiva*, Firenze, Electa, 1948, p.321.

☆3——William Morris, "The Lesser Arts," in Idem, *Collected Woks*, vol. XXII, London: Longmans, 1914, p.17

☆4——Emilio Cecchi, "Cambridge," in Idem, *Pesci rossi*, Firenze: Vallecchi Editore, 1920. このチェッキの一節は、私がすでに指摘したように（"L'Ariosto e l'Inghilterra," in *Il Veltro*, I, 3-4, giugno-luglio 1957）、好都合にもアリオストと彼の摸倣者スペンサーとの相違に関しても光明を与えてくれる。「類似した冒険がくりひろげられ、ほとんど同一の闘いがおこなわれている。大地ではアリオストの冒険と闘いが、そして虹色に輝く雲間が広がる天空ではスペンサーの冒険と闘いが。実際、北方の森のなかの澱み、濁り、乳白色となった水鏡に映るものは、かつてはアリオストの真昼の陽光のもとで生き生きと血のかよった緊張感をたたえていたのである」。この私の論考の英語版は以下に所収。*The Flaming Heart*, New Yokd: Doubleday, 1958.　イタリア語版は以下に所収。*Machiavelli in Inghilterra ed altri saggi sui rapporti letterari anglo-italiani*, Firenze: Sansoni, 1962. 後者の二八七〜八八ページを見よ。

☆5——Dagobert Frey, *Englisches Wesen im Spiegel seiner Kunst*, Stuttgart – Berlin: V. Kohlhammer Verlag, 1942.

☆6——John Summerson, *Architecture in Britain, 1530-1830*, Pelican History of Art, Harmondsworth: Penguin Books, 1953, p.175.

☆7——Frey, *Englisches Wesen*, p.224.

☆8——エミール・カウフマンはブレナムについて次のように評価している（Emil Kaufmann, Architecture in the Age of Reasons, Cambridge: Harvard University Press, 1955, p.5）。「バロックの観点から眺めると、ブレナムのデッサンは、中核が柱廊による玄関とホールで構成されており、力強い統一感を示している。それは大陸のバロックが達成したいかなる最新の成果にもけっしてひけをとるものではない」。

☆9——カウフマンはいわゆるヴァンブラのグーズーバイ・ハウス（一六九九年）について、「一八世紀がなしとげた成果のなかでも前衛的な」建物と評価している。カウフマンの指摘によれば、キングズ・ウェストンの建築でヴァンブラは、バロックの構築原理を、ルドゥーやブーレー、つまりこれら「革新的な」新古典主義的建築家の作品に典型的に見られる分離の原理と全面的に組みあわせようとしている。この傾向（横溢から抑制への移行）であれ、ゴシック様式の復活（「ゴシック・リヴァイヴァル」）の始まりを告げるような——実際にはちがうのであるが——ゴシック化への傾向であれ、カウフマンによれば、すべてがバロック様式への不満を表わす兆候にほかならない。

とりわけシートン・ドラヴェルの建物では、各部分が互いに重なりあいながら調和を生みだすバロックの原理は影をひそめ、建物を構成する諸要素のあいだに不調和が生まれ、各要素はそれぞれほかの要素を貶めようとしているように思われる。また壁面のさまざまな構成にしても同様で、側面の滑らかな石壁や、屋階の同じく滑らかな石壁とは対照的に、中央入口は荒い石壁となっている。カウフマンの指摘によれば、ヴァンブラの建築の不安定さについての別の解釈は、イニゴ・ジョーンズ以前の、イギリス的建築概念への回帰の試み、イタリアの形態主義に対する地方的な造形言語の反抗という意味において可能となるであろう。ヴァンブラが古い様式を蘇らせ、あるいは新しい秩序を創出しようと願っていたかどうかは確言できない。ホークスモアの場合も、カウフマンは（一九～三〇ページ）、バロックの統一的概念が、あたかもフランスの革新的な建築家の作品のように、分散したモティーフの集積に置き換わっていると考えている。

「ホークスモアを、バロックを代表する典型的な建築家とする事例はひとつしかないはずである」。カウフマンは、ヴァンブラにせよホークスモアにせよ、彼らはたしかにひとつの流派を形成することができなかったが、それは彼らがその時代においてあまりに大胆であったからである、と結論している。ヴァンブラの大胆さについては、ジョン・ソーンが一八〇〇年代初頭に熱烈な讃辞を送っている（John Soane, *Lectures on Architecture*, ed. by A.T. Bolton, London: Jordon-Gaskell, 1929, Lec. V, p.90）。「破格な幻想の大胆な飛翔によって、彼の力強い知性は常識的な概念の彼方へと超えでる。彼には、建築家のシェイクスピアという高貴な呼称がふさわしい」。

☆10——E. K. Waterhouse, *Painting Britain 1530-1790*, Pelican History of Art, Harmondsworth: Penguin Books, 1953, p.87.

☆11——Cf. René Wellek, "The Concept of Baroque in Literary Scholarship," *The Journal of Aesthetics and Art Criticism*, 5, 2 (December 1946), pp.156-164.　さまざまな文学作品に「バロック」という用語が適用された多くの事例を注意深く検証したうえで提出されたヴェレックの結論は、控え目なペシミズムの調子を含んでいる。

「私は、バロックが〈ロマン主義〉と同じ位置におちいらないこと、そして多くの意味を付与されながら、それ自体はなにも意味しないという結論が与えられないことを望んでいる。たしかに用語というものには、それの拡張と評価について、また正確な意味について多義性と不確実性がつきまとうものであるが、〈バロック〉という用語はいままで重要な機能を果たしてきたし、また現在でも果たしている。この用語が提起した問題とは、ひとつの様式が時代によっていかに変化し、いかに優勢になっていくかということである。この用語は、さまざまな国における文学とさまざまな芸術とのあいだに、ある類似関係が存在することを指摘している。……

イギリス文学史の場合、このバロックという概念はとりわけ重要であろうと思われる。というのは、〈エリザベス朝時代〉という用語の拡張と、〈形而上的〉というおそらくバロックと競合する唯一の伝統的用語自体への厳しい制限のために、こうした様式の存在自体にはあまり関心が払われなかったからである。……バロックは、われわれにとってこの時代の文学を理解する助けとなり、社会史や政治史から導きだされた時代区分を文学史から排除するのに役立つ美学的用語を提供した。〈バロック〉という用語の欠点――私はこの欠点を軽視しようとしたことはない――は、総合を求め、観察や事実の単純な集積からわれわれの関心をひきはなし、美しい芸術のような文学の歴史を将来に約束する道を拓く用語であるということである」。ヴェレックのこの論考には、一九四六年までの豊富な参考文献一覧が付されている。

☆12――Cf. Mario Praz, *John Donne*, Torino: Editrice S.A.I.E., 1958, pp.19-20.

☆13――*Ibid.*, p.29.

☆14――Cf. Arnold Hauser, *The Social History of Art*, London: Routledge & K. Paul, 1951, p.46.　ダンの時代とわれわれの時代に、ある類似性が存在することは、かつてT・S・エリオットによって、また最近ではマーシェット・シュートによって指摘されている（Marchette Chute, *George Herbert and Robert Herrick*, London: Secker and Warburg, 1960, p.274.）。「二〇世紀前半は一八世紀前半のように、多くの点で厳しい時代、情熱に満ちた時代であった。人びとはよく理解せずに新しい形式をもたらそうと、まただれひとりとして知るはずのない道にもかかわらずひとつの方向へ赴こうと燃えていた」。イギリス現代文学におけるマニエリスムについては以下を見よ。Giorgio Melchior, *The Tightrope Walkers. Study of Mannerism in Modern English Literature*, New York: Macmillan, 1956, p.45.

☆15――Frank Kermode, "A Myth of Catastrophe," *The Listener*, 15 November 1956.

☆16――T. S. Eliot, "Note on the Verse of John Milton," in *Essays and Studies by Members of the English Association*, vol. 21, Oxford: At the Clarendon Press, 1936.

☆17――Rosamond Tuve, *Elizabethan and Metaphysical Image*, Chicago: The University of Chicago Press, 1947.

☆18――Clay Hunt, *Donne's Poetry*, New Haven: Yale University Press, 1954.

☆19――Odette de Mourgues, *Metaphysical, Baroque and Précieux Poetry*, Oxford: At the Clarendon Press, 1953, p.10.

☆20――Elizabeth Holmes, *Aspects of Elizabethan Imagery*, Oxford: Balckwell, 1929.

☆21――Caroline Spurgeon, *Shakespeare's Imagery and what it tells us*, Cambridge: Cambridge University Press, 1935.

☆22――Wolfgang Clemen, *Shakespeares Bilder, Ihre Entwicklung und ihre Funktionen im Dramatischen Werk*, Bonner Studien zur Englischen Philologie, vol. 27, Bonn: P. Hanstein, 1936.

☆23――Edward A. Armstrong, *Shakespeare's Imagination. A Study of the Psychology of Association and Inspiration*, London: Lindsay Drummond, 1946.

☆24――F. L. Schoell, *Études sur l'humanisme continental en Angleterre à la fin du Moyen-âge*, Paris: Champion, 1926.

☆25――Louis L. Martz, *The Poetry of Meditation. A Study of English Religious Literature of the Seventeenth Century*, New Haven: Yale University Press, 1954.

☆26――Cf. Perry J. Powers, "Lope de Vega and Las Lágrimas de la Madalena," *Comparative Literature*, 8, 4 (Fall, 1956), pp.273-290.

☆27――Mario Praz, *Secentismo e marinismo in Inghilterra*, Firenze: La Voce, 1925.　クラショーについての論考は以下で再刊されている。Richard Crashaw, Brescia: Morcelliana, 1945; Roma: Mario Bulzoni Editore, 1964.　英語版は以下において刊行されている。*The Flaming Heart*, New York: Doubleday, 1958, 2nd ed., New York: The Norton Library, 1973.

☆28――Mario Praz, "Milton and Poussin," in *Seventeenth Century Studies presented to Sir Herbert Grierson*, Oxford: At the Clarendon Press, 1938, ristampato in *Gusto neoclassioco*, Firenze: Sansoni, 1940; Napoli: Edizioni Scientifiche Italiane, 1959; Milano: Rizzoli, 1974.

☆29――Margaret Bottrall, "The Baroque Element in Milton," *English Miscellany*, 1 (1950), pp. 31-40.

☆30――E. I. Watkin, *Catholic Art and Culture*, London: Hollis and Carter, 1947.

☆31――Wylie Sypher, *Four Stages of Renaissance Style*, New York: Doubleday, 1955, p.222.

☆32――O. Walzel, "Shakespeares dramatische Baukunst," *Jarbuch der deutschen Shakespeare Gesellshaft*, 52 (1916), pp.3-35; in Idem, *Das Workunstwerk*, Leipzig: Quelle & Meyer, 1926. M・ヴォルフ（M. Wolff, "Shakespeare als Künstler der Barocks," *Internationale Monatsschrit*, 11, 1917, 955-1020）は、ヴェルフリンの諸カテゴリーをシェイクスピアに適用しようと試みているが、ミンコフの指摘するように（次註を参照）、しばしば用語の用い方を誤っている。ドイテチェバインの論考（M. Deutschebain, *Shakespeare Macbeth als Drama des Baorok*, Leipzig: Quelle & Meyer. 1936）の展開も、同様な強弁におちいっていると言えるであろう。彼は『マクベス』の構成は楕円形であり、楕円はバロック芸術に好まれた形態であると主張している（楕円は、光あるいは理性の力と闇あるいはカオスの力という、二つの対立する力の交差する点を演劇芸術が表わしているという事実によって生じるであろう。しかしミンコフが指摘しているように［一三ページ］、正方形や十字架など、楕円形よりも適切な場合もある）。さらに以下を見よ。 L. L. Schücking, *The Baroque Character of the Elizabethan Tragic Hero*, London: H. Milford, 1938.

☆33——Marco Mincoff, "Baroque Literature in England," *Annuaire de l'Université de Sofia, Faculté Historico – Philologique*, 43 (1947) , pp.30ff

☆34——Giuliano Pellegirini, *Barocco ingelese*, Messina-Firenze: D'Anna, 1953.

☆35——以下を見よ。 Jean Rousset, *La littérature de l'âge baroque et France*, Paris: José Corti, 1953.

☆36——Mario Praz, "Restoration Drama," *English Studies*, 15, 1 (Feburuay, 1933), pp.1-14.　イタリア語版は以下のとおり。 "Il dramma ingelese della Restaurazione e suoi aspetti preromantici," *La Cultura*, 12, 1 (gennaio-marzo 1933), pp.68-82; in Studi e svaghi inglesi, Firenze: Sansoni, 1937.

☆37——Cf. Bonamy Dobrée, *English Literature in the Early Eighteenth Century*, Oxford: At the Clarendon Press, 1959, p.240. 「古典的な枠組みのなかでロマン主義的な感情を提示しようとする試みは、バロック的と呼んでも不適切ではない形式を生みだした」。

イギリスにおけるペトラルカ

☆1——Mario Praz, "Chaucer and the Great Italian Writers of the Trecento," *The Flaming Heart: Essays on Crashaw, Machiavelli, and Other Studies in the Relations between Italian and English Literature from Chaucer to T. S. Eliot*, Garden City, N.Y.: Doubleday, 1958.

☆2——W. L. Bullock, "The Genesis of the English Sonet Form," *PMLA*, XXXVIII, 1923.

☆3——『ロミオとジュリエット』第二幕第四場。マリオ・プラーツ「シェイクスピアのイタリア」（伊藤博明訳、『官能の庭Ⅲ ベルニーニの天啓——一七世紀の芸術』ありな書房、二〇二二年所収）を参照されたい。

☆4——Torquato Tasso, *Rime d'Amore, Libro I. Rime per Lucrezia Bendidio. 1561-62*, 1585, Rime 17. "Bella è la donna mia se del bel crine / L'oro al vento ondeggiar avvien ch'io miri." 「美しきはわが愛しき人、彼女の美しき髪が、風で金色に波打つのを見つめられるなら」。

☆5——マリオ・プラーツ「ジョン・ダンとその時代の詩」（伊藤博明訳、『官能の庭Ⅲ——ベルニーニの天啓』所収）を参照のこと。

☆6——これおよび他の類似については、前掲、「ジョン・ダンとその時代の詩」を参照のこと。

☆7——ほぼ忠実な英語訳として、ウィリアム・J・イベットのものも挙げておく（限定出版一五〇部のみ）。 *Some Sonnets and Songs of the Divine Poet M. Francesco Petrarca made in Laura's Lifetime and now done into English, by William J. Ibbett*, Shaftesbury, 1926.

イギリスにおけるアリオスト

☆1――Alice Cameron, *The Influence of Ariosto's Epic and Lyric Poetry on Ronsard and his Group*, Baltimore: The Johns Hopkins Press, 1930.

☆2――以下で再刊されている。Charles T. Prouty, *The Sources of Much Ado About Nothing. A Critical Study, together with the Text of Peter Berverley's Ariodanto and Ieneura*, New Haven: Yale University Press, 1951.

☆3――Emilio Cecchi, 'Cambridge,' in Idem, *Pesci rossi*, Firenze: Vallecchi Editore, 1920.

☆4――C. S. Lewis, *The Allegory of Love. A Study in Medieval Traditon*, Oxford: Oxford University Press, 1938.

☆5――『狂えるオルランド』の散文による文字どおりの翻訳は以下のように刊行されている。Ludovico Ariosto, *Orlando Furioso*, An English Translation with Introduction, Nots and Index, by Alaln Gilbert, New York: Vanni, 1954.

☆6――現代人におけるダンの運命は、H・J・C・グリエルソン編纂の彼の作品集（一九一二年）から始まった。

イギリスにおけるタッソ

☆1――「ロンドン、一五八四年六月二二日、旧式」と記された、ジャコモ・カストロヴェトロからロドヴィコ・タッソー二宛の書簡。これとそのほかの情報について、私は次の研究に負っている。Alberto Castelli, *La Gerusalemme liberata nell'Inghilterra di Spenser*, Milano: Società edizione "Vita e Pensiero", 1936.　以下は参照することができなかった。H. M. Branchard, *Imitations from Tasso in English Literature, 1575-1675*, Northwestern University, Summaries of Dissertations, I, 1933.　以下も参照されたい。H. H. Blanchard, "Imitations from Tasso in *The Faerie Queen*," *Studies in Philology*, 22 (1925), pp.198-221; C. B. Beall, "A Tasso Imitation in Spencer," *Modern Language Quarterly*, 3 (1942), pp.559-60.

☆2――タッソの言葉。以下を見よ。C. Guasti, *Le lettere di T. Tasso*, Firenze: Le Monnier, 1853, n. 785: 'Di Mantova, il 29 marzo del 1587.'

☆3――*Torquati Tassi Solymeidos Liber Primus*, 1584; *Scipii Gentilis Solymeidos Libri Duo priores*, 1584.　一五九四年六月に、海軍大臣一座は『ゴッドフリー・オブ・ブローニュ』の第二部を上演した。その第一部は、一五九二年三月二二日から四月二五日まで、ストレンジ卿一座によって公演された戯曲『エルサレム』だったかもしれない。以下を見よ。E. K. Chambers, *The Elizabethan Stage*, Oxford: At the Clarendon Press, 1923, vol.2, p.134 and vol.3, pp.340-41.

☆4――モンテーニュは『エセー』の第二版（一五八二年）において、フェッラーラでトルクァート・タッソの憐れむべき狂気を、恐れおののきながら見た、と述べている。以下を見よ。L. F. Benedetto, *Il Montaigne a Sant'Anna, in Uomini e tempi*, Napoli: Riccardi, 1953.　一五八八年に、対話篇『家族の長』（*Il Padre di famiglia*）の、劇作家トマス・キッドに帰される英語版『家長の哲学』（*The Householders Philosophie*）が刊行された。そこでタッソは、運命と権力者たちによって迫害された、逃亡者として現われている（「運命と権力者たちの怒りを私は避けた……」、「あなたはたぶん、その叫びがわれわれの国に届いた者たちの一人であり、ある共通の誤謬によって不幸へと落ちいったが、……許されて当然な者たちの一人である」）。

☆5——しかしながら、サトゥルヌスの大鎌はタッソの戯曲から要求されたものとは思われないであろう。

☆6——タッソとグイド・レーニの比較はスタンダールがおこなった。

☆7——このテーマは、ある意味で使い古されたものである。ジャン・ルーセ（Jean Rousset, *La Littérature de l'âge baroque en France*, Paris, 1953, p.273）が引用している、ピエール・マシューの詩句を参照。「果物は木の上では花を咲かせ、それから実を結ぶ／食べられ、萎れ、腐る。／人間は生まれ、生き、死ぬ。そこで車輪の上の／〈時〉が彼の身体を宿命の力へと連れていく」。

☆8——くりかえしに注意されたい。「そして見えない、それは。それは見えない」。テニソンの「安逸の人々」にもくりかえしが見られる。たとえば第七節。「聞き、眺められさえすれば……、音だけでも聞きさえすれば」。

☆9——スペンサーによって摸倣された叙情詩については、アンナ・マリア・クリノが編纂した、『アモレッティとエピタラミオン』（*Amoretti and Epithalamion*）の対訳本（A cura di Anna Maria Crinò, Firenze: Editrice Universitaria, 1954）の序文と註記を見よ。ほかの詩人については以下を見よ。Castelli, *op. cit.*

☆10——アルミーダの庭におけるタッソの官能的モティーフ（第九歌のニンフたち）は、ルイス・デ・カモンイスの『ウズ・ルジアダス』（*Os Lusíadas*）にも見いだされる（第九歌一〇行以下）。すなわち、ヴァスコ・ダ・ガマの仲間たちをおびきよせ、楽しませるという役目を負ったニンフたちは、『エルサレム解放』第一四歌において、リナルドを解放しようとやってくる二人の戦士を誘うニンフたちの姉妹である。

☆11——以下を見よ。Mario Praz, *La carne, la morte e il diavolo nella letteratura romantica*, cap.2: *Le metamorfosi di Satana*; Olin H. Moore, "The Infernal Council," *Modern Philology*, 16, 4 (Aug., 1918), pp.169-93; 19, 1 (Aug.,1921), pp.47-64.「地獄の会議」は、『ニコデモによる福音書』（三世紀）の第二部を構成する「キリストの地獄降り」に現われる。それは中世の神秘劇によって演じられたテーマのひとつであった。「地獄の会議」をともなう『嬰児虐殺』の第一歌はリチャード・クラショーによって翻訳されていた。そしてミルトンは原典にも翻訳にも通じていた。ミルトンはさらに、バッティスタ・マントヴァーノのラテン語詩『ゲオルギウス』（*Georgius*）にも依拠していた。以下を見よ。Edward S. Le Comte, "Milton's Infernal Council and Mantuan," *Publications of the Modern Language Association*, 69 (1954), pp.179-83.

☆12——この英語版は以下で研究されている。R. E. Neil Dodge, "The Text of *Gerusalemme Liberata* in the Version of Carew and Fairfax,"

Publications of the Modern Language Association, 44 (1929), pp.681-95; Walter L. Bulloc, "Carew's Text of the *Gerusalemme Liberata*," *Publications of the Modern Language Association*, 45 (1930), pp.330-35.

☆13――この英語版については以下を見よ。Castelli, *op. cit.*, cap.4, pp.66-112. 以下も見よ。Charles G. Bell, "Fairfax's Tasso," *Comparative Literature*, 6, 1 (Winter 1954), pp.26-52.

☆14――以下を見よ。Mario Praz, *Tre drammi elisabettiani*, Napoli: Edizioni Scientifiche italiane, 1958, p. 22 sgg.

☆15――ドライデンは自らの『寓話』の序文において、「彼［フェアファックス］は『ゴッドフリー・オブ・ブローニュ』から数の協和をとりだした」というウォラーの主張に言及している。イギリスの韻律の歴史におけるフェアファックスの重要性については以下を見よ。Ruth C. Wallenstein, "The Development of the Rhetoric and Metre of the Heroic Couplet, especially in 1625-45," *Publications of the Modern Language Association*, 50 (1935), pp. 169-209.

☆16――以下を見よ。Mario Praz, "Stanley, Sherburne and Ayres as Translators and Imitators of Italian, Spanish and French Poets," in Idem, *Ricerch2e anglo-italiane*, Roma: Edizioni di Storia e Letteratura, 1944.

☆17――『英雄詩論』（*Discorsi del poema eroico*）第二巻。カウリーの古典的な規範を厳密に遵守しているという言明自体が、タッソのものをくりかえしている。「ギリシア詩とラテン詩の諸原理という範例なしはなにごとも考えられるはずがない。それゆえ、新しい道を捜すことは賞讃よりも批判をもたらす」。ウィリアム・ダヴナント（一六〇六〜六八年）もまた、英雄詩『ゴンディバート』（*Gondibert*）への序文「ゴンディバートについての論議」（'Discorsi del poema Gondiibert,' 1650）において、すでにジャン・ボードワンによって一六三八年にフランス語に訳されていた、タッソの『英雄詩論』を利用している。

☆18――「引き離す」（tear）という言葉は、フェアファックスが「肩から吊り下がっている蛇」について語る、同じ詩節において見られる。

☆19――Tasso, *Prose diverse*, a cura di C. Guasti, Firenze, 1875, vol.1, p.54. ［村瀬有司訳。以下、断りのないかぎりは伊藤・新保訳］。

☆20――*Ibid.*, p.217.

☆21――*Ibid.*, p.219.

☆22――*Ibid.*, p.222

☆23――*Ibid.*, p.223

☆24――*Ibid.*, p.232. Cf. p.55.「壮麗な語り手は、装飾過多という悪癖に陥ることのないよう……事細かいこだわりを避けるべきです」［村瀬訳］。

☆25——*Ibid.*, p.233.

☆26——*Ibid.*, p.135.　同じ原理は、タッソの対話篇『伯爵、すなわちインプレーサについて』（*Il Conte, o vero De l'imprese*）において主張されている。すなわち、インプレーサの身体［図像］は高貴でなければならなかった。以下を見よ。Mario Praz, *Studi sul concettismo*, Firenze: Sansoni, 1946, p.65.［マリオ・プラーツ『綺想主義研究——バロックのエンブレム類典』、伊藤博明訳、ありな書房、一九九八年］。

☆27——*Ibid.*, pp.272-73.

☆28——*Ibid.*, p.213.

☆29——T.S. Eliot, "Note on the Verse of John Milton," in *Essays and Studies by Members of the English Association*, vol.21, Oxford: At the Clarendon Press, 1935.

☆30——*Prose diverse*, p.262.

☆31——*Ibid.*, p.267.

☆32——*Ibid.*, p.162.

☆33——*Ibid.*, p.253.

☆34——ここは以下の論考において述べたことと重複している。Mario Praz, "Milton e Poussin," in *Gusto neoclassico*, Napoli: Edizioni scentifiche italiane, 1559.［マリオ・プラーツ「ミルトンとプッサン」、新保惇乃＋伊藤博明訳、『ベルニーニの天啓』、二〇二二年に所収］。

☆35——J. S. Smart, *The Sonnets of Milton*, Glasgow: Maclehose, Jackson & Co., 1921.

☆36——『カーザ殿のあるソネットについての講演』（*Lezione sopra un sonetto di Monsignor della Casa*, in *Prose diverse*, vol.2, p.125）。このフェッラーラ・アカデミーでおこなわれた講演は、『タッソの詩と散文』（*Rime e prose del Tasso*）第二部に最初の版のテクストが含まれている。

☆37——F. T. Prince, *The Italian Element in Milton's Verse*, Oxford: At the Clarendon Press, 1954.

☆38——ミルトンは一六三九年にナポリで、タッソの最後の庇護者であった華やかな、ヴィッラのマルケ伯G・B・マンゾと会っている。『世界創造』は、マンゾの母、ヴィットリア・ロッフレード夫人の勧めによって、一五九二年に書き始められた（Solerti, *Vita di T. Tasso*, 1895, vol.1, p.716）。最後のタッソの文体については、以下の校訂版の序文を見よ。*Mondo creato*, a cura di Giorgio Patrocchi, Firenze: Le Monnier, 1951, p. xxvi sgg.　若きタッソにおいては、三つの文体（荘厳体、凡庸体、謙遜体）の区別は厳密であったが、「それに対して、最後の詩作の言語は、三つすべての文体の混淆の結果である」。それゆえ、「荘厳な」文体についてのタッソの諸規則を忠実に守っていたミルトンが、文体上の妥協を表わしている、後期の『創造世界』よりも、それらの規則をより巧みに説明しているとしても驚くことではない。『世界創造』の不死鳥についての一節（第五日、一二八三〜一五九一行）は、ミルトンの「ダモンの墓碑銘」（'Epitaphium Damonis'）の一節と対照されてきた。以下を参照。Rudolf Gottfried, "Milton, Lactantius, Claudian, and Tasso," *Studies in Philology*, 30 (1933), pp.497-503.

☆39——Olaus Magnus, *Historia de Gentibus Septentrionalibus*, XV, cap.23 et 24-30.　以下を見よ。E. Gigas, "En nordisk Tragedie af en italiensk Kassker," *Nordisk tidskrift for filologi*, N.S. 7, pp..187-206.　この論文は、G・カルドゥッチの『トッリズモンド』についての論考において引用されている（*Opere minori in versi di T. Tasso*, Bologna: Zanicherri, 1895, vol.3）。ウェルギリウス『アエネイス』第六巻六四二行以下も参照。

☆40——『アミンタ』は一六二八年にヘンリー・レノルズによって翻訳されていた（*Tasso's Aminta Englisht*, tr. By Henry Reynolds, London, Printed by Aug: Mathewes for William Lee）。別の英語版はジョン・ダンサー（John Dancer）によるもので一六六〇年に刊行された。

☆41——Roswll Gray Ham, *Otway and Lee, Biography from a Baroque Age*, New Haven: Yale University Press, 1931, pp.39-40, 34.

☆42——『クロリンダ』（*Clorinda*）についての以下の好論考を見よ。Fredi Chiappelli, "Clorinda," *Studi tassiani*, 4 (1954), pp.19-22.　タッソの有名な逸話の影響は、ボーモンとフレッチャーの『乙女の悲劇』（*Maid's Tragedy*）第五幕第三場に見いだされる。そこでは、男装したアスペイシアが、彼女を棄てたアミンターを挑発して、彼に——知らないままに——自分を殺させようとする。アスペイシアの「これが私の宿命の時」という最初の言葉は、以下の『エルサレム解放』第一二歌第六四節の言葉を反響させている。「だがしかし、ついにいまこそは宿命の時は訪れて／クロリンダの生をその終焉に至らしめるのである」［鷲平訳］。

☆43——以下を見よ。Mario Praz, *La carne, la morte e il diavolo nella letteratura romantica*, Firenze: Sansoni, 1948, pp.35 sgg.　タッソに心酔していたルソーは、オリンドとソフローニアの逸話を「しゃがれ、震えるひどい声で」読みながら、涙を流しはじめた（Cf. L. F. Benedetto, "J.-J. Rousseau e Torquato Tasso," in Idem, *Uomini e tempi*, *op. cit*, pp.35 sgg.）。

☆44——Tasso, *Prose diverse*, p.222.

☆45——*Essays of John Dryden*, Selected and ed. by W. P. Ker, Oxford: Clarendon Press, 1926, vol.1, p.145.

☆46——*Ibid.*, p.182.

☆47——以下を見よ。A. Warren, *Alexander Pope as Critic and Humanist*, Princeton: Princeton University Press, 1929, pp.204-05.

☆48——スティールは『スペクテイター』誌第一四号において次のように述べていた。「これらの若い役者」は、木々に止まって、自らに与えられた役をこなすかわりに、「ギャラリーに侵入したり、蠟燭を消したりした」。舞台に動物を導入するという、この不運な試みは、ヴィットリオ・ガスマンがセネカの『テュエステス』でおこなった、成功したとは言いがたい試みを思いださせる。そこにおいては、鎖に繋がれた哀れな禿鷹が、役者たちに叩かれて、翼を打ち続け、あまり品の良くない恐怖の印象を与えたのである。

☆49——Roderick Marshall, *Italy in English Literature, 1755-1815*, New York: Columbia University Press, 1934, p.14.

☆50——一七五一年の『スチューデント』誌（*Student*, n.8, vol.II, pp.313-15）に掲載されたコリンズの諷刺詩（'Ode to Horror', in *the Allegorical, Descriptive, Alliterative, Epithetical, Fantastical, Hyperbolical and Diabolical Style of our Modern Ode Wrights and Monody Mongers*）において、次のようにタッソが言及されている。

おお、汝が初めて、幻想の翼に乗せて、
恐怖で震えるタッソをあの森へと導いた、
そこでは、断罪された、狂える復讐の女神たちが
炎で燃え盛る城壁を設える。

☆51——カルドゥッチが『トッリズモンド』についての論考において考察しているように（*Tasso, Opere minori in versi*, vol.3, Bologna: Zanichelli, 1895, p.lxvii）、正確にには九〇七行から成る一幕の、五九二行から成る一場のなかの三七五行である。

☆52——James Boswell, *Life of Dr. Johnson.* 一七六三年の初頭。

☆53——Robert Southey, *Poeticall Works*, 1, pp.vii-viii. 以下を参照。Jack Simmons, *Southey*, London: Collins, 1945, p.17.

☆54——キーツの書簡（一八一八年九月二一日か二二日）には、おそらくは『エルサレム解放』第一六歌第一五節から採られた「薔薇を集める」という引用が見いだされる。別の書簡（一八二〇年八月一三日か）でキーツは、一八二〇年刊行のレイ・ハントの『アミュンタス。森の物語。トルクァート・タッソのイタリア語から』（Leigh Hunt, *Amyntas, A Tale of the Woods: from the Italian of Torquato Tasso*, 1820）に言及している。

☆55——エッカーマン宛の書簡。一八二四年五月一八日、一八二五年二月二五日。

☆56——『ウォバーン修道院の大理石作品の概略的な銅版画と記述』（*Outline Engravings and Descriptions of the Woburn Abbey Marbles*, 1822）は、ウーゴ・フォスコロの「三美神へのギリシアの讃歌の断片」（'Fragments of a Greek Hymn to the Graces'）と「三美神への古代の讃歌についての考察」（'Dissertation on an Ancient Hymen to the Graces'）を含んでいる。

ペトラルカとエンブレム作家たち

☆1――そののち、最初のエンブレム集を編纂したアルチャートは、『言葉の表示作用について』（*De verborum significatione*）において、ヒルシャウのコンラートの言葉を想い起こさせる言葉でこう述べる。「言葉は表示し、事物は表示される。しかしまた、ホルスとカエレモンのヒエログリフのように、事物もときには表示する。われわれは、この考えにもとづき『エンブレム集』（*Emblemata*）と題する、詩句による小冊子を作成した」。

☆2――ゾリオ宛の書簡。Ed. Henctipetori, 1554, p.1351, col.2.

☆3――オウィディウスもまた、『愛の技法』（*Ars amatoria*）において、エロティックな題材を宗教的な領域に――ただし皮肉な意味合いをこめて――高めていた。オウィディウスの態度について、そして、中世においてそれが解釈されてきた、もしくは誤解されてきた様態については、次の重要な研究を参照することができる。C. S. Lewis, *The Allegory of Love*, Oxford: Oxford University Press, 1936.

☆4――セーヴは現在、その秘教的な点が注目されている。以下のヴィゴレルの論考を参照。G. Vigorell, in *Prospettive*, n. 8-9 (15 agosto – 15 settembre, 1940); Idem, in *Lettratura*, 4, 4 (ottobre - dicembre, 1940). すでにB・グエガンはセーヴの全集（B. Guégan, in *Maurice Scève, Ouvres complètes*, Paris, 1937）においてこう述べていた。彼の「苦悩に満ちた総合、濃密で、しかし堅固で、常に意味を帯びており、黒ダイヤモンドのように輝きつつ暗い、このタイプの詩節は、われわれがボードレールとマラルメにおいて讃嘆するものである」。ヴィゴレルの翻訳はこのような特徴を誇張しようとしており、「思惟の鏡」（ディザン第四〇五番）を「わが苦痛のガラス」にする。そして、残念ながらしばしば、黒ダイヤモンドのかわりに日本製の真珠だけを与えており、「北風が過ぎてゆき、強さを得る」（ディザン第四〇七番）を「蛇が這って、より強くなる」と解釈している。

☆5――この綺想を利用したほかの詩人たちについては以下を見よ。Mario Praz, *Studi sul concettismo*, Milano: La Cultura, 1934, p.68.［マリオ・プラーツ『綺想主義研究――バロックのエンブレム類典』、伊藤博明訳、ありな書房、一九九八年］。

☆6――カルロ・ラジーニオが彫った『ヴァティカン宮のロッジャ』（*Logge del Vaticano, incise da Carlo Lasinio*, Roma: De Antoni, 1802）の図五、第八番を見よ。

☆7――以下を見よ。Girolamo Ruscelli, *Imprese illustri*, Venezia, 1584, pp.394-95.

☆8――以下を見よ。Ruscelli, *cit.*, p.273. そこではダイヤモンドとトパーズの首飾りの意味について、また白い牝鹿の徳について敷衍されている。

☆9――Ruscelli, *cit.*, p.245.

☆10——Camillo Camilli, *Imprese illustri*, Venezia, 1586, p.171.

☆11——*Ragionamento di Messer Lodovico Domenichi, nel quale si parla d'Imprese d'armi et d'amore.* この著作は、P・ジョーヴィオ『愛と戦いのインプレーサについての対話』(Paulo Giovio, *Dialogo dell'imprese militari e amorose*, Lyon, 1574)とともに刊行された(p.253 seg.)。

☆12——Ruscelli, *cit.*, p.507 segg.

☆13——Paradin, *Devises heroiques*, Lyon, 1557, p.204.［クロード・パラダン『英雄的ドゥヴィーズ集』、田中久美子＋伊藤博明訳、ありな書房、二〇一九年］。

☆14——*Ragionamento di Mons. Paolo Giovio sopra I motti e disegni d'arme e d'amore, che comunemente chiamano Imprese,* Con un Discorso di Giroramo Ruscelli intorno allo stesso soggetto, Venezia, 1556.［パオロ・ジョーヴィオ『戦いと愛のインプレーサについての対話』、伊藤博明訳、ありな書房、二〇二〇年］。

☆15——以下を参照。A. Salza, *Luca Contile*, Firenze, 1903, p.207.　とりわけ重要なのは「インプレーサ文学と一六世紀におけるその運命」と題された章である。

イギリスのエンブレム文学

☆1——この論考は元来、一九三四年二月一日（木曜日）に、「マンチェスター文献学クラブ」（Manchester Philological Club）で講演として読んだものである。

☆2——以下を見よ。*English Studies*, 13 (1931), pp.26-30.

☆3——ビーチクラフト氏は『クライテリオン』（一九三四年４月号）に寄稿した論考「クラショーとバロック様式」（'Crashaw and the Baroque Style," *Criterion*, April 1934）において、エンブレムというテーマに立ち戻っているが、また著しく不正確な言明が見られる。「部分的には、エンブレムという精神的な習慣から、一七世紀の詩的直喩一般を選択するという趣好が生じたのだが、それは直喩の感覚的な美や情動的な特質のためではなく、秘教的な知的適用のためである」。実際は、むしろ、後者の傾向がエンブレム文学を創出したのである。私は、ビーチクラフト氏の、「エリオット氏の『クラショーへの註記』をのぞいては」、クラショーの詩作の根本にあった「特有な精神と趣好を再構成するものはほとんどなにも書かれてこなかった」という言明は例外的にあつかうべきなのであろうか。この言明がさらに驚かせるのは、ビーチクラフト氏が彼の例証のほとんど(テザウロなどからの引用)を筆者の『イギリスにおける一七世紀主義とマリーノ主義』（*Secentismo e Marinismo in Inghilterra*）から採っていることであり、直接の引用はただの一度で、しかも誤っていることである。「実際、マリオ・プラーツによれば、『エピグラムは文学において、建築において誤ったパースペクティヴにあるもの、有名なボッロミーニのコロネードのようなものである』」は、オリジナルのテクスト（二二一ページ）によって、「パラッツォ・スパーダのボッロミーニによる有名なコロネード」と補わなければならない。

☆4――以下を見よ。*English Studies*, 9 (1927), pp.205f.

エンブレム、インプレーサ、エピグラム、綺想

☆1――エンブレム・ブックにはしばしば、有名な画家の版画が挿入されている。以下を見よ。A.J.J. Delen, *Histoire de la gravure dans les ancins Pays-Bas et dans les provinces belges des origines jusqu'à la fin XVIIIe siècle*, Paris, Les Edition d'Art et d'Histoire, 1935.

☆2――ルネサンスの日常生活と思考に関する情報源として、エンブレム文学が重要であることは以下が強調している。R.J. Clements, "The Cult of the Poet in Renaissance Emblem Literature," *Publication of the Modern Language Association*, 59, 3 (September 1944), pp.672-685.

☆3――S.L. Wolff, *Greek Romances in the Elizabethan Prose Fiction*, New York: Columbia University Press, 1912, pp.170-71.　この資料の註に引用されている作品を見よ。しかしヴォルフは、ギリシアの作家たちのあらゆる事柄を視覚的に表現することの偏愛を考えるならば、彼らがエンブレムをほとんど用いていないことをみて驚くだろう、と述べている。ヴォルフによれば、ソフィストのロンゴスにはいっさいみいだされず、ヘリオドロスには一例（「なぜクピドは二つの翼をもって描かれるのか」）しか現われていない。他方で彼は、アキレス・タキオスにはかなりの数のエンブレムをみいだしている。ビザンティンの作家においてエンブレムはより豊富になるが、実は彼らは中世の寓意の影響下にあったのである。

☆4――オウィディウスの寓意については以下を見よ。L.K. Born, "Ovid and Allegory," *Speculum*, 9 (1934), pp.362-379.

☆5――*La Cultura*, N.S. 1, 7 (luglio 1929), pp.401, 404.

☆6――以下を見よ。M. Praz, "Petrarca e gli emblematisti," in Idem, *Ricerche anglo-italiane*, Roma: Edizioni di Storia e Letteratura, 1944, pp.303-319.

☆7――『聾唖者書簡』（*Lettre sur les sourds et les muets*, in *Œuvres complètes*, ed. Assézat et Tourneux, vol.1, p.374）。

☆8――『意志と表象としての世界』（*Die Welt als Wille und Vorstellung*）第一巻第三章五〇節。寓意的な図表の重要性に関するきわめて独創的な観点が以下で示されている。W.J. Ong, "From Allegory to the Diagram in the Renaissance Mind," *The Journal of Aesthetics and Art Criticism*, 17, 4 (June 1956), pp.423-440.　オングによれば、一七世紀から一八世紀の寓意的な図表への耽溺は、印刷術によって導入された新しい伝達習慣への耽溺と密接に連関している。この習慣とは、たとえば主題について

の二分法的図表や総括的な「見取図」の発展で、こうした見取図は、究極的には言語的なものの空間的なものへの還元を表現しており、諸語彙は、互いに図表的に関連づけられて「理解可能なもの」になるのである。寓意的な図表は、言葉と図像の空間上の相互作用であるがゆえに、聴覚的な世界と視覚的な世界の一種の中間的位置を占めている。偉大な寓意的図表の時代を特徴づけている、視覚的象徴の言語化への特有な傾向性は、その時代が境界的な——言語的文化が視覚的文化へと変質されつつある——時代であったことを明示している。

☆9——H. Bremond, *Histoire littéraire du sentiment religieux en France*, Paris, vol.II, pp.55 ff.　ここに記されているマリー・ド・ヴァランスの神秘主義はきわめて典型的な例である。「この無学の女性が、呆然としている弟子ルイ・ド・ラ・リヴィエールに書きとらせた彼女自身の法悦と追想から、彼女の精神的生活をうかがうことができる。……ほかのだれよりもマリーは事物の感覚的領域に拘泥し、彼女の内面でイメージが次々と抜けだして、次第に崇高化されていく。それゆえ、きわめて簡単にこの過程を探ることができる。彼女は聖ゲルトルードから口述を始め、聖テレサで終えている。『神様は栄光に満ちた聖母マリアを表わす霊的に美しい城をあなたにお与えになりました』、あるいは『あなたの幻視のなかに、栄光に満ちた聖母マリアが美しい菜園であることをお見せになります』。そしてまた『彼女は両手に貴重な液体で満たされた壺を見て、その壺がなにを意味するのかを理解します』。一度は『若い男性の姿をした美徳たちが彼女の前に現われ、彼女を祝福しました』。

一六一四年にマリーが聴いた説教は、勝利の馬車に乗った倫理的徳と神学的徳のことを語っていた。マリーは、その説教師は倫理的徳を上手に語ることができたと述べ、象徴を正しいものにすることがいかに重要であるかを詳細に示した。一六一三年にマリーは、ヴォワイロンのシュール・ド・ラ・ビュイスの華麗な庭園を訪れる。『さて、彼女がこの庭園を散策していると、洞窟の形につくられた場所に着いた。その洞窟には人工の噴水が置かれ、噴水はさまざまな送水管によって、水を上にも下にも、あちらこちら、あらゆるところから噴出させていた。その場所には、喉を震わせ囀る鳥、鐘を鳴らす隠遁僧など心を和ませる人工の装置や、水の流れや落下によって驚嘆すべき効果を生みだす創意に満ちたものが数多くあった。そのときである。不意に彼女の精神に、イエス・キリストが端正な噴水のイメージと化して見えたのは。……その場所から彼女が歩みを進めると、別の噴水が彼女の目にとまった。噴水の最上部には送水管があり、その上に火のついた蠟燭が置かれていた。すると同時にばねが弾け、管の下から水が流れでて蠟燭の周りに壺の形をつくった。……この水はけっして止むことなく蠟燭の周りを昇ったり降りたりし、壺もまた昇ったり降りたりして、その楕円の形をずっと完全に保っていた。しかも、その中にある蠟燭の火が消えることはなかった。……そして突如として聖霊が現われ、彼女の内面を理解させたのである。慈愛にしっかり根ざした魂は神の賜物であり、そこには恩寵の生命の水と聖なる愛の炎が同時に見えるということを』」。これに類似した表現は、この時代の宗教的エンブレムにも見いだされ、たとえば、噴水の形をとったキリストというモティーフは中世に遡るものである（Emile Mâle, *L'Art religieux de la fin du moyen âge en France*, Paris, 1925, pp.108ff.: "La Fontaine de vie"）が、ジョルジェット・ド・モントネ『キリスト教的エンブレム集』（*Emblèmes, ou devises chrestiennes*）第一九番、ヘルマン・フーゴ『敬虔な欲望』（*Pia desideria*, 1624）、同『神的愛と人間的愛の効力』（*Amoris divini et humani effecus*, 1626）などに現われている。

☆10——「ペトルス・エギディウスへの書簡」（*Epistola a Petrus Ægidius*, Ides d'Octobre 1514）、『全集』（*Opera omnia*, Lyon, 1703）、第一巻五五九ページ。

☆11——Ed. Huesca, 1645, p.357.

☆12——『アリストレスの望遠鏡』（*Il Cannocchiale Aristotelico*, Venezia, 1655, pp.61, 77, 310）。

☆13——『倫理論集』「託宣の背反について」（*Moralia*, 'De oraculorum defectu,' 416D）。この見解は説教家や哲学者のあいだで一般的なものとなった。たとえば、バークリは、「可感的宇宙全体は記号の一体系である」と述べている。

☆14——Migne (ed.), *Patrologica latina*, vol. CCX, col.579.

☆15——『諸事物の共感と反感に関する隠秘哲学、自然の技巧、世界の自然的知識、そして好奇な哲学の第二部』（*Oculta Filosofia de la Sympatia, y Antipatia de las cosas, artificio de la naturaleza, noticia natural del mundo, y segunda parte de la Curiosa Filosofia*, Barcelona, 1645, cap.1: *El mundo ed un laberinto poetico. Tratase de los laberintos de Porphyrio poeta*, p.160）。初版はマドリードで一六三三年に刊行。

☆16——Ericj Puteani, *Pietatis Thaumata in Bernarudi Bauhusj à Soc. Iesu Protheum Parthenium, unius Libri Versum, unius Versus Librum, Stellarum numero, sive forumis MXII variatum [emblem]*, Antwerpen, 1617.　アディソン（J. Addison, *Spectator*, no.60）は、この有名な詩句によって呼び起こされた構成を、偽りの機知の一例として挙げている。聖ピエール・フーリエの、短いが驚嘆すべき別の詩句については以下を見よ。R.P. Jean Bede, *La Vie du T.R.P. Pierre Fourier*, 1670, pp.26-27; Bremond, *op. cit.*, vol.1, pp.317-18.

☆17——B. Croce, *Storia della Età Barocca in Italia*, Bari: Gius. Laterza & Gigli, 1929, p.438. エンブレムと綺想の結合関係を看取しようとする注目すべき試みが以下でなされている。T.O. Beachcroft, "Quares – and the Emblem Habit," *Dublin Review*, 188 (January 1931), pp.80-96. しかしこの著者はエンブレムの歴史についてあまりに無知であり、アルチャートをオランダ人と誤っているほどである。

☆18——Idem, p. 489.

☆19――『聖体のいとも厳かな犠牲と秘蹟の、神秘的な諸形象の聖なる光景――フランスとナヴァールの敬虔なキリスト者である女王に献じられた』（*Tableaux sacrés des figures mystiques du très auguste sacrifice et sacremant de l'Eucharistie dédiés à la très chretienne reine de France et de Navarre*, Paris, 1601）。

人名・作品名　索引

タ行

官能の庭Ⅱ

ピクタ・ポエシス

――ペトラルカからエンブレムへ

二〇二二年五月二五日　発行

著　者――マリオ・プラーツ
訳　者――伊藤博明（専修大学文学部教授／イタリア思想史）
若桑みどり（一九三五年生～二〇〇七年歿／イタリア美術史）
新保淳乃（武蔵大学人文学部講師／イタリア美術史）
監　修――伊藤博明（専修大学文学部教授／イタリア思想史）
企画構成――石井　朗（表象芸術論）
装　幀――中本　光（デザイン）

発行者――松村　豊
発行所――株式会社　ありな書房
東京都文京区本郷一―五―一五
電話　〇三（三八一五）四六〇四
印刷／製本――株式会社　厚徳社
ISBN978-4-7566-2280-8 C0070

シリーズ　マリオ・プラーツ〈官能の庭〉Ⅰ～Ⅴ　監　修　伊藤博明

官能の庭Ⅰ
マニエーラ・イタリアーナ――ルネサンス・二人の先駆者・マニエリスム　定価　二四〇〇円＋税

官能の庭Ⅱ
ピクタ・ポエシス――ペトラルカからエンブレムへ　定価　三〇〇〇円＋税

官能の庭Ⅲ
ベルニーニの天啓――一七世紀の芸術　定価　二八〇〇円＋税

官能の庭Ⅳ
官能の庭――バロックの宇宙（仮）　予価　未定

官能の庭Ⅴ
パリの二つの相貌――碩学マリオ・プラーツの見た世界1　フランス（仮）　予価　未定